D1202872

L'ADULTÈRE
est un péché qu'on pardonne

Conception graphique de la couverture: Nancy Desrosiers
Photo: Jan Cobb/The Image Bank

DISTRIBUTEURS EXCLUSIFS:

- Pour le Canada et les États-Unis:
  LES MESSAGERIES ADP*
  955, rue Amherst, Montréal H2L 3K4
  Tél.: (514) 523-1182
  Télécopieur: (514) 939-0406
  * Filiale de Sogides ltée

- Pour la Belgique et le Luxembourg:
  PRESSES DE BELGIQUE S.A.
  Boulevard de l'Europe 117
  B-1301 Wavre
  Tél.: (10) 41-59-66
  (10) 41-78-50
  Télécopieur: (10) 41-20-24

- Pour la Suisse:
  TRANSAT S.A.
  Route des Jeunes, 4 Ter
  C.P. 125
  1211 Genève 26
  Tél.: (41-22) 342-77-40
  Télécopieur: (41-22) 343-46-46

- Pour la France et les autres pays:
  INTER FORUM
  Immeuble ORSUD, 3-5, avenue Galliéni, 94251 Gentilly Cédex
  Tél.: (1) 47.40.66.07
  Télécopieur: (1) 47.40.63.66
  Commandes: Tél.: (16) 38.32.71.00
  Télécopieur: (16) 38.32.71.28
  Télex: 780372

Bonnie Eaker Weil
Ruth Winter

L'ADULTÈRE
est un péché qu'on pardonne

Traduit de l'américain
par Alain-Xavier Arpino

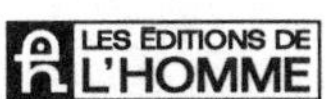

Données de catalogage avant publication (Canada)

Eaker Weil, Bonnie
L'adultère est un péché qu'on pardonne
Traduction de: Adultery, the forgivable sin

1. Adultère - Aspect psychologique. 2. Pardon. I. Titre.
HQ806.E2514 1994 306.73'6 C94-940565-5

© 1993, Bonnie Eaker Weil et Ruth Winter

© 1994, Les Éditions de l'Homme,
une division du groupe Sogides,
pour la traduction française

L'ouvrage original américain a été publié par Birch Lane Press Book,
une division de Carol Communications Inc.,
sous le titre *Adultery, the forgivable sin*
(ISBN: 1-55972-185-5)

Tous droits réservés

Dépôt légal: 2e trimestre 1994
Bibliothèque nationale du Québec

ISBN 2-7619-1189-X

Je dédie ce livre à Hyman et à Paula Eaker, mes parents bien-aimés, dont je suis si fière. C'est leur amour, leur courage et leur confiance en moi qui m'ont permis de l'écrire.
Je le dédie aussi au docteur Jeffrey M. Weil, mon merveilleux mari que j'aime.

À tous les enfants qui se cachent sous les couvertures, ce livre est pour vous.

L'erreur est humaine, mais le pardon est divin.
ALEXANDER POPE

Préface

Nous vivons une époque difficile pour les relations de couple. Les mariages se brisent dans 40 à 50 p. 100 des cas et le pourcentage d'adultère est très élevé. La famille monoparentale en est donc souvent la conséquence.

Le livre de Bonnie Eaker Weil est d'un grand intérêt, car il souligne les causes de l'adultère dont les effets sont dévastateurs pour toute la famille. Les ravages affectifs de cette trahison ne s'effacent pas avec de simples regrets. Il s'agit d'une question affective complexe qui nécessite de vrais remords avant que son modèle puisse disparaître. La blessure infligée aux maris, aux épouses, aux enfants et aux générations suivantes est profonde et durable. En effet, l'héritage de l'adultère peut affecter ceux et celles qui n'étaient même pas nés lorsqu'il a eu lieu. *Bien que son mécanisme de transmission entre les générations ne soit pas très bien compris, nous savons cependant qu'il existe.*

Ce livre démontre certaines idées de son auteur. Il les développe et les précise dans l'esprit de ceux qui les partagent, et il stimule la réflexion et la discussion dans celui des autres.

C'est avant tout un livre pratique qui contient des exemples fascinants et des conseils très utiles. En explorant le vide intérieur éprouvé par les partenaires adultères, les phénomènes de poursuite et de fuite dans la relation, les moyens de pardonner et la manière de passer de l'apitoiement sur soi-même à la générosité envers les autres, il traite le problème de l'adultère d'une manière réaliste et significative et prouve qu'il n'est plus aujourd'hui un péché impardonnable. *Ce livre sera extrêmement enrichissant et utile pour tous ceux qui essaient de rebâtir leur mariage ou leur relation de couple.*

L'adultère n'est jamais un acte isolé. Il s'agit d'un événement systémique qui, s'il n'est pas évalué, continuera de faire des ravages chez les générations futures. Considéré comme un péché, il est inavouable.

Dr Thomas F. Fogarty
Administrateur honoraire,
The Center For Family Learning,
Ryebrook, New York

Introduction

Ce livre est destiné à tous ceux et celles qui ont souffert ou craignent de souffrir de la douleur de l'adultère. Il s'adresse aux couples mariés et à ceux qui ne le sont pas. Au moins la moitié de ma clientèle est composée de célibataires des deux sexes dont la vie a été ruinée par l'infidélité du partenaire ou par sa simple crainte. Il est autant destiné à ceux et celles qui ont été trompés ou alors infidèles, qu'à ceux et celles qui aiment ou sont aimés.

J'avais sept ans lorsque j'ai été brutalement réveillée une nuit par un bruit étrange et terrible: mon père et ma mère criaient dans le salon. Je sais aujourd'hui que le sujet de cette dispute était l'infidélité renouvelée de mon père.

Ma mère, gardienne habituelle de l'ordre dans la famille, avait découvert un indice si flagrant qu'elle ne pouvait pas le laisser passer — une tache rouge sur le col de la chemise de mon père, la marque classique de l'adultère. Elle savait qu'il s'agissait de rouge à lèvres et il persistait à affirmer qu'elle était due aux pistaches rouges qu'il avait mangées au cours de sa partie de poker.

«Ce sont les pistaches», insistait-il. «Tu mens», rétorquait ma mère.

Comme je ne voulais pas en entendre plus, je me suis bouché les oreilles avec les mains avant de m'enfoncer sous les couvertures. Et j'y suis restée, affectivement dissimulée, pendant les vingt années suivantes. Je n'ai jamais permis à ce terrible souvenir de ressurgir — pas plus pendant mes cinq ans de thérapie que durant mon mariage ou mon divorce. J'étais affectivement si éloignée de cette scène que je n'en ai jamais parlé à mon père ni à mon thérapeute. Mais j'ai aussi *surcompensé* en épousant un homme que la sexualité intéressait peu, qu'elle soit avec moi ou avec d'autres femmes.

Mais alors, à 27 ans, deux choses se sont produites, qui ont tiré sur les couvertures. D'abord, ma mère a quitté mon père et a refusé de revenir jusqu'à ce qu'il accepte de cesser d'avoir des aventures et commence une thérapie. Plus tard, alors que je préparais mon histoire familiale pour suivre un cours de thérapie familiale, *j'ai fait l'incroyable découverte que mes parents avaient aussi enterré leur propres souvenirs insupportables.*

Devant les questions pertinentes de mon mentor, le docteur Thomas Fogarty, thérapeute familial, ma mère a fondu en larmes et elle a confié qu'elle connaissait la relation adultère de mon père avec la femme de ménage.

Alors, comme le docteur Fogarty l'incitait gentiment à se souvenir des traumatismes de son enfance, mon père a lui aussi commencé à pleurer. En hésitant, mais comme il était encouragé à affronter son vide affectif, il a fini par avouer le secret honteux qu'il avait caché pendant plus de quarante ans.

«À l'âge de 10 ans, je suis revenu à l'improviste à la maison et j'ai vu un inconnu en compagnie de ma mère. En observant leurs visages et leur comportement étrange, j'ai pensé que ma mère avait été infidèle», révéla-t-il.

C'est à ce moment-là que j'ai commencé à considérer l'adultère — au même titre que l'alcoolisme ou l'inceste —, comme un problème touchant plusieurs générations.

Mon père a, lui aussi, essayé de se cacher sous les couvertures. Mais, même en refusant de reconnaître ce terrible secret — malgré huit ans de thérapie —, il était motivé par lui et essayait de prendre une revanche sur sa mère et de venger son père en sabotant toutes les relations de ce dernier avec des femmes.

Pendant ce temps, ma mère essayait de revivre sa propre enfance en se mariant avec un play-boy qui ressemblait à son père et en tentant de le réformer.

J'ai été moi-même perturbée par mon secret; même si je n'ai pas commis d'adultère, je ne pouvais pas faire confiance aux hommes et j'étais terrifiée par l'intimité.

Depuis ces révélations, j'ai pu constater que mes intuitions se confirmaient constamment pendant mes vingt ans de pratique de la thérapie familiale. J'ai conseillé plus d'un millier de couples. La grande majorité d'entre eux (80 p. 100) étaient venus me voir parce que l'un ou l'autre des partenaires avait été infidèle.

Dans neuf cas sur dix, mes patients et moi-même avons pu déterminer qu'au cours de la thérapie — regroupant parfois quatre générations, parents, grands-parents et enfants —, l'un des partenaires au moins était l'enfant devenu adulte d'un parent adultère.

Très peu de clients avaient su reconnaître cette complicité familiale à son début. La plupart d'entre eux savaient mais, tout comme moi, ils ne voulaient pas savoir. Et ils avaient eux aussi pratiquement tous enfoui le fait qu'ils savaient au plus profond d'eux-mêmes — avec le sentiment de vide et de douleur que cela engendrait — même pendant la thérapie. Puis, un beau jour, eux-mêmes ou leur partenaire avaient une aventure — et ils commençaient à affronter leur secret, avec l'aide et le soutien des autres membres de la famille.

L'adultère détruit habituellement le couple qu'il frappe; selon des sources fiables, 65 p. 100 des mariages touchés par l'adultère se terminent par des divorces.

Pourtant, tout ne devrait pas inévitablement se terminer ainsi. **Seulement 2 p. 100 des couples que j'ai conseillés ont divorcé après la découverte d'un adultère.**

Pourquoi? Parce que je ne suis pas d'accord avec l'accusation portée par un grand nombre d'épouses trompées: «Tu as commis l'impardonnable péché!» *Mes patients, mes parents et moi-même ont fait la démonstration du contraire: l'adultère peut vraiment être un péché pardonnable.*

Je ne lui trouve pas d'excuse — comment pourrais-je, en ayant vu l'étendue de ses dommages? Mais je crois sincèrement qu'il s'agit souvent d'un mode de comportement héréditaire et non pas d'un choix délibéré; le partenaire adultère essaie désespérément de combler des besoins affectifs qui ne l'ont pas été par ses propres parents.

Un adultère est le symptôme d'un problème non résolu qui peut être transmis de génération en génération. Dans une proportion étonnamment grande de cas, cette blessure de l'enfance est infligée par un parent adultère; dans d'autres, par le décès prématuré d'un parent, le divorce ou un autre comportement qui laisse à l'enfant le sentiment d'avoir été abandonné ou trahi.

Ceux qui ne souffrent pas d'une manière ou d'une autre ne commettent pas d'adultère.

Espérant soulager la douleur de son vide affectif, le partenaire adultère prend de nouveaux partenaires exactement comme d'autres prennent de la nourriture, de l'alcool ou de la drogue. Je leur dédie aussi ce livre.

Si vous êtes le partenaire adultère, vous devez reprendre contact avec ceux qui vous ont blessé et que vous avez blessés afin de retrouver votre crédibilité à leurs yeux et d'apprendre à vous débarrasser de cet héritage encombrant.

Si vous êtes le partenaire trompé, vous devez vous réconcilier avec ceux qui vous ont blessé — y compris vos parents — et tâcher de construire une relation plus profonde et plus satisfaisante.

J'ai écrit ce livre parce que je pense que l'adultère est toujours une erreur, mais qu'elle est compréhensible.

Nous devons oublier notre besoin puritain de punition, les attitudes négatives et les lettres d'aveu. L'adultère nous atteint à un niveau plus profond que celui où la punition est capable de nous guérir. *Pour nous tous, l'infidélité brandit le spectre terrible de l'abandon, une peur si primaire que nous n'osons pas l'affronter.*

Un de mes principaux objectifs est de faciliter l'élimination de cette peur, de la honte et du blâme qui entourent l'adultère; c'est seulement ainsi que nous pouvons composer avec ses véritables raisons et faire diminuer son terrible traumatisme.

Le modèle de comportement adultère peut être amendé grâce à beaucoup d'amour, de travail, de compréhension et d'engagement. Il est possible de trouver de bonnes manières de composer avec nos douleurs affectives. Nous pouvons apprendre à nous battre avec élégance et à pardonner, ainsi qu'à améliorer notre intimité. Nous pouvons reprendre contact avec les partenaires ou les parents qui ont blessé — souvent involontairement — notre psychisme d'enfant. Nos relations amoureuses peuvent alors être renforcées et nos enfants sauvés.

Mes parents, à la retraite aujourd'hui, sont plus heureux que jamais et je suis aussi plus proche d'eux; vingt ans après mon divorce, je me suis remariée avec un homme merveilleux qui m'a aidée à vaincre mes peurs. Mon frère a aussi fait un nouveau mariage heureux vingt ans plus tard.

Notre expérience avec la thérapie familiale a changé nos vies. Si nous n'avions pas tous travaillé ensemble, mon secret, le secret de mon père et celui de ma mère auraient été enfouis à jamais et cet héritage empoisonné aurait été transmis à une autre génération.

Maintenant, je souhaite aider le lecteur à oublier la noirceur de la trahison et à marcher dans la lumière.

Pour cela, je vous offre mon expérience personnelle et professionnelle de ce qui est efficace.

Avertissement au lecteur

Ce livre est pour vous si:

- votre partenaire vous a trompé — ou s'il arbore un air disponible et charmeur...
- vous avez été tenté de vous écarter de votre partenaire ou vous êtes aperçu que vous pensez trop à quelqu'un d'autre...
- vous savez ou soupçonnez que vous avez un héritage familial d'amours illicites...
- vous êtes impliqué répétitivement avec des amants ou des maîtresses qui ne sont pas tout à vous...
- vous ne pouvez pas vous engager dans une relation amoureuse fidèle ni dans n'importe quelle autre relation...

Nos objectifs

Dans la première moitié de ce livre, nous explorerons les véritables motifs de l'adultère, son moment, sa raison et les personnes qu'il concerne, ainsi que les moyens de l'éviter.

Dans la seconde, nous vous montrerons comment survivre à cette expérience bouleversante et même en sortir grandi grâce à des exercices efficaces qui permettent de combattre, de communiquer et de guérir.

Vous pouvez vous rendre maître de ce problème dévastateur et lui éviter de se reproduire chez vos enfants et vos petits-enfants. Vous pouvez libérer vos secrets de famille et solutionner vos conflits cachés.

Le péché impardonnable peut être pardonné.

Permettez-moi de vous montrer la façon de faire.

Signaux avertisseurs

Comme nous l'avons vu, ma propre mère a été alertée de l'infidélité de son mari par un indice classique: une marque de rouge à lèvres sur le col de sa chemise.

Mais il en existe aussi d'autres comme le raccrochage brutal du combiné ou des conversations téléphoniques chuchotées, des factures de téléphone ou des relevés de carte de crédit anormalement élevés, une odeur d'alcool ou de parfum inhabituel, une perte d'intérêt dans la sexualité.

Quelquefois, les indices sont plus subtils — et s'appliquent aux partenaires adultères des deux sexes.

PETIT JEU DES SIGNAUX AVERTISSEURS

1) Votre partenaire passe-t-il beaucoup plus de temps à l'extérieur de la maison — en voyages d'affaires, en réunions, en sorties nocturnes avec des hommes ou des femmes? La durée de ses repas du midi est-elle très variable?
2) Part-il plus tôt au travail et en rentre-t-il plus tard? Lorsque vous lui téléphonez, le personnel de son bureau a-t-il du mal à le trouver?
3) Ses conférences de vente ou ses cours du soir vous paraissent-ils durer plus longtemps que d'habitude?
4) Lorsqu'il est à la maison, est-il nerveux? Passe-t-il soudainement beaucoup de temps à faire de bonnes actions comme s'il voulait se racheter?
5) Lorsque vous êtes ensemble, avez-vous l'impression de moins parler et de regarder plus la télévision?

Commérages

6) Le nom d'un collègue ou d'un voisin commence-t-il soudain à revenir souvent dans sa conversation?
7) Cesse-t-il de parler de quelqu'un dont il était souvent question auparavant?
8) Votre partenaire satisfait-il toutes vos envies ou est-il à la hauteur des commentaires qu'il fait au repas du midi sur les personnes de sexe opposé?
9) Commence-t-il à avoir des opinions différentes ou à raconter des plaisanteries inhabituelles?

Indices esthétiques

10) Votre partenaire s'est-il soudain découvert un penchant pour la gymnastique? Ou a-t-il soudain envie de suivre un régime amaigrissant?
11) A-t-il changé sa manière de s'habiller et porte-t-il des cravates éclatantes ou des vêtements plus sexy?
12) A-t-il soudain effectué un changement d'attitude auquel il avait toujours résisté auparavant — se faire de nouvelles relations, porter des chemisettes, laisser ses cheveux ou ses ongles pousser?
13) S'est-il mis à porter un postiche ou à se faire faire des implants capillaires? Ou s'est-il fait colorer des mèches de cheveux?

État d'alerte

14) Faites-vous l'amour plus ou moins souvent que d'habitude avec lui?
15) Utilise-t-il soudain de nouvelles positions ou les réclame-t-il?
16) Les préliminaires ont-ils changé? Et le plaisir consécutif?
17) Votre partenaire a-t-il cessé de vous dire des mots tendres ou de vous donner de petits noms charmants?

Signaux d'alerte sérieuse

18) Votre partenaire fait-il beaucoup de secret avec les copies de ses factures de carte de crédit? Se précipite-t-il pour écouter — en s'isolant — le répondeur téléphonique et vous devance-t-il pour répondre au téléphone?

19) Provoque-t-il plus de disputes ou est-il plus agressif lorsque vous avez un différend?
20) Est-ce que la quantité de fautes découvertes a augmenté?
21) Vos enfants semblent-ils présenter des signes de stress comme ne pas vouloir vous quitter, faire des cauchemars ou être hyperactifs?

Si vous avez répondu *oui* à plus de trois des questions précédentes, votre relation de couple ressemble à un bateau qui prend l'eau... et risque de couler.

Chapitre premier

Quel est le problème?

L'adultère peut frapper une relation de couple avec la même force qu'une crise cardiaque. Comme les victimes d'arrêt cardiaque, vous risquez de rester paralysé lorsque vous découvrez l'infidélité de votre partenaire. Votre confiance, votre estime de vous-même et votre goût de vivre risquent d'être compromis.

Tout comme les maladies cardiaques, l'adultère est très fréquent et en hausse — particulièrement chez les femmes. **Selon les études les plus récentes, entre 50 et 70 p. 100 des Américains et entre 30 et 50 p. 100 des Américaines sont infidèles; un partenaire a une liaison adultère dans environ 80 p. 100 de tous les couples.**

L'incidence de l'infidélité est encore plus importante chez les couples non mariés. Ceux qui sont infidèles commettent un adultère en trahissant l'amour et la confiance de leur partenaire.

Mais, comme les maladies cardiaques, l'adultère n'est pas toujours fatal. Les cardiaques peuvent survivre et même retrouver la santé en menant une vie saine. Vous pouvez faire de même en trouvant une meilleure manière d'aimer.

Je sais à quel point l'adultère peut être déchirant parce que je l'ai vu pratiquement séparer ma propre famille en deux.

Je sais aussi par expérience, à la fois personnelle et professionnelle, que l'adultère peut être un péché qu'on pardonne.

Mon père et ma mère se sont mariés par amour, mais ils étaient pratiquement condamnés par leur héritage inconnu d'infidélité conjugale. Encore et encore, mon père a trompé ma mère; encore et encore, elle l'a repris — jusqu'à ce que, un jour, elle en ait assez.

Sans le savoir, tous deux ont ensuite joué des scénarios destructeurs écrits pendant leur propre enfance. Réprimant un doute remontant à son enfance à l'effet que sa mère ait pu s'impliquer avec un autre homme, mon père a malgré tout vengé son père en devenant lui-même un coureur de jupons. N'ayant confiance en aucune femme, il s'est mis à fuir l'intimité conjugale.

Ma mère, dont le père avait entretenu des relations adultères avec la bonne de la famille, est devenue une poursuivante de son mari et elle a pardonné répétitivement ses frasques.

J'ai, moi aussi, été touchée. Un jour, alors que j'étais petite fille, j'ai surpris une dispute entre mes parents à propos de l'adultère. J'ai vite enfoui ce souvenir dans ma mémoire, mais il m'a hanté pendant les vingt années suivantes. J'ai épousé un homme que je pensais incapable de me tromper, car sa libido était très faible; après en avoir divorcé, j'étais terrifiée à l'idée de former un nouveau couple.

Aucun de nous n'a cependant révélé ses secrets avant que nous nous retrouvions au Center For Family Learning de New Rochelle, dans l'État de New York, où j'avais obtenu un diplôme de thérapeute familiale.

Nos expériences en thérapie familiale ont changé nos vies lorsque, à tour de rôle, nous avons dû affronter le vide douloureux de l'enfance qui existait en nous.

Ma mère et mon père ont ravivé la flamme de leur amour et se sont rapprochés l'un de l'autre, comme de leurs propres parents, de mon frère et de moi. Auparavant, je n'avais jamais eu de relation aussi satisfaisante avec un membre de ma famille — et j'ai finalement pu bâtir un couple amoureux et soudé avec Jeff, mon second mari.

Le fait d'avoir ouvert mon cœur et mon esprit au problème m'a appris ceci: **la fidélité n'est pas une garantie de la persistance de l'amour et l'infidélité n'est pas un signe de sa diminution ni de sa disparition. En fait, l'adultère peut être un essai — plutôt maladroit — de réparation et de stabilisation d'un couple vacillant.**

Sans travail commun, notre héritage destructeur risque de se transmettre à une autre génération.

Je souhaite maintenant que, vous aussi, vous puissiez tirer profit de ce que vous avez appris. Pendant vingt ans, j'ai aidé mes clients à se remettre de la douleur engendrée par l'adultère. Ces méthodes sont efficaces, car *98 p. 100 des couples que j'ai traités sont restés ensemble après avoir découvert que l'un des partenaires ou les deux avaient eu une liaison, par comparaison avec les 35 p. 100 de l'ensemble de la population.* Mes clients font donc partie de la majorité.

L'adultère détruit plus que jamais la société. C'est un sujet dont tout le monde parle, de la télévision au cinéma et des chansons populaires aux annonces publicitaires. Calvin Klein donne à l'un de ses parfums le nom d'«Eternity», mais ses mannequins sensuels présentent aussi «Escape» et «Obsession». («Aussi parfait et étrange qu'il soit, dit l'annonce d'Obsession en citant D. H. Lawrence, c'est le fruit défendu et tentant...»)

Les magazines populaires ne sont plus les seuls à dénoncer les scandales sexuels; ces dernières années, la presse «respectable» a aussi mis en cause des princes (Charles et Diana, Andrew et Fergie), des politiciens (Bill Clinton et sa supposée liaison avec Gennifer, George Bush et sa supposée liaison avec Jennifer) et des vedettes de cinéma (Woodie Allen et Mia Farrow).

Notre goût pour les commérages sur les escapades extraconjugales révèle une profonde ambivalence. D'un côté, nous nous vantons de respecter le septième commandement de la Bible, alors que l'adultère sévit dans toute la population. Plus de 20 États américains considèrent toujours l'adultère comme illégal, et il sert souvent d'argument de défense pour les cas de meurtre.

Nous continuons de croire la publicité sur le sujet — les révélations de la liaison de Gary Hart avec Donna Rice, par exemple, ont compromis, en 1988, sa course à la présidence des États-Unis. Et, dans un récent sondage de *Psychology Today*, 92 p. 100 des répondants déclaraient que la monogamie était «importante» ou «très importante».

Toutefois, 45 p. 100 des mêmes personnes ont aussi admis qu'elles avaient eu une liaison.

Certaines de nos attitudes contradictoires sont carrément dangereuses. Il pourrait sembler logique de croire que la propagation du sida nous a fait rentrer dans les rangs. Mais, selon mon expérience, ce n'est — malheureusement — pas le cas. En fait, il se passe même exactement le contraire. J'entends tous les jours parler de plus en plus de liaisons adultères dans lesquelles un mari est séduit par une femme célibataire.

Par une curieuse déviation de la logique, de nombreuses femmes recherchent des amants mariés parce qu'elles sont convaincues de courir moins de risques d'infection qu'avec des célibataires à cause de leur nombre inférieur de partenaires au cours des dernières années.

Par-dessus tout, les femmes commencent à rattraper les hommes dans la fréquence de l'infidélité. En 1980, par exemple, un sondage auprès des lectrices de *Cosmopolitan* indiquait que 50 p. 100 d'entre elles avaient eu au moins une liaison adultère; en 1987, Shere Hite, la célèbre investigatrice de la sexualité, a découvert que 70 p. 100 des femmes mariées depuis plus de cinq ans avaient été infidèles.

De nos jours, alors que l'écrasante majorité des femmes nord-américaines travaillent à l'extérieur de leur foyer, elles ont plus d'occasions de rencontrer des hommes au cours de repas d'affaires, de conférences, de séminaires, etc.

LES FEMMES VEULENT-ELLES SIMPLEMENT S'AMUSER?

Ce qui m'importe le plus dans cette tendance est l'argument habituel sur l'impossibilité d'être une femme libérée sans coucher à gauche et à droite. Plusieurs livres ont célébré la liaison «sans culpabilité» des femmes comme une manière de découvrir et de développer leur identité sexuelle.

Mais n'en avions-nous pas déjà entendu parler auparavant, par Erica Jong, entre autres?

Personne ne hait plus que moi cette dualité: pourquoi les hommes infidèles devraient-ils être considérés comme des modèles de charme et les femmes comme des garces?

Mais, qui voudrait obtenir l'égalité dans un concours de vide affectif? Les femmes citées dans ces livres sont supposées rechercher le genre de plaisirs sexuels sans entrave que les hommes ont connus dans le passé. Disons tout d'abord que je ne crois pas qu'ils existent pour les hommes, comme nous allons le voir. Ensuite, *si vous lisez attentivement ce que ces femmes écrivent, vous remarquerez qu'elles disent répétitivement être à la recherche de quelqu'un à qui parler.*

Ce n'est pas simplement la satisfaction sexuelle qu'elles recherchent, mais c'est plutôt une intimité et la validation d'elles-mêmes. Et c'est ce que nous devrions pouvoir obtenir, ou demander, à la maison.

Nous ne tombons habituellement pas sur ce genre de satisfaction affective avec une liaison ordinaire — et les femmes qui y parviennent souhaitent la rendre permanente. J'ai remarqué que les femmes infidèles avaient moins tendance que les hommes à se servir d'une relation extraconjugale comme d'un appel au secours — une échappatoire à un mariage malheureux ou dénué d'amour.

Il est amusant de constater que cette nouvelle tentative des femmes d'être plus portées vers la sexualité coïncide avec le nouveau désir des hommes d'un regain d'attention et d'intimité. Maintenant que la majorité des *baby-boomers* ont atteint la quarantaine, notre société est devenue plus mûre — et dans la maturité, comme le montrent constamment les études, les femmes veulent souvent plus d'indépendance et les hommes plus d'intimité.

Peut-être qu'au lieu d'essayer d'être en compétition dans une espèce de concours sexuel, nous devrions simplement essayer de nous rapprocher.

Attraction effrayante

Pourquoi sommes-nous à la fois si effrayés et si attirés par l'adultère? En partie, parce que nous reconnaissons qu'il nous fascine. Nous avons grandi dans des relations triangulaires, entrant en compétition avec notre père, nos frères et nos sœurs pour l'attention de notre mère. Ce qui nous a profondément appris à être terrifiés par l'abandon et contrariés par le partage. **Nous n'abandonnons pratiquement jamais notre fantasme enfantin que, d'une manière ou d'une autre, un jour ou l'autre, nous finirons par trouver quelqu'un qui nous voudra exclusivement. C'est un fantasme destructeur qui nous fait constamment rechercher l'amour dans tous les mauvais endroits.**

En dépit de notre grande familiarité avec l'adultère, nous ne le comprenons cependant pas très bien. Il est temps que nous cessions alternativement d'ignorer, d'excuser ou de condamner cette épidémie. Pour pouvoir traiter un problème, il nous faut d'abord le comprendre.

Commençons donc par corriger certaines conceptions fausses et dangereuses qui sont enracinées dans la croyance populaire.

LES CINQ ERREURS À PROPOS DE L'INFIDÉLITÉ

1) *L'adultère est une question de sexualité*

Vous n'auriez jamais classé Diane parmi les femmes fatales: grassouillette, la quarantaine souriante, elle irradiait plus la chaleur d'une mère que celle d'une maîtresse. C'est toutefois cette allure que Fernand, un avocat de 50 ans, avait aimée pendant une liaison de dix-huit ans.

En thérapie avec sa jolie femme, Françoise, Fernand a confié que l'amour attentionné de sa mère lui avait manqué et avait compensé la froideur de son père exigeant et coureur de jupons. (Ce n'était pas vraiment une coïncidence que la réserve de Françoise lui rappelle son père.) Je cite leur cas comme preuve d'un fait sous-estimé.

L'adultère ne balaie pas nécessairement les amoureux d'un flot de passion.

Dans la plupart des couples, l'époux volage essaie de conjurer le sentiment de vide laissé par les blessures et les frustrations de son enfance — surtout si, comme Fernand, il s'agit de l'enfant devenu adulte d'un parent adultère.

Souvent, les rapports sexuels sont meilleurs à la maison, et le partenaire marié est au moins aussi plaisant que l'amant. **Par exemple, une de mes études a montré que sur 100 Américains, un seul de ceux qui admettaient avoir des liaisons en donnait comme raison une insatisfaction sexuelle. L'attirance était plus souvent affective que physique.**

Dans un nombre croissant de cas, et spécialement dans le milieu de travail, la sexualité n'est pas du tout impliquée — bien que j'aie classé ces amitiés de bureau comme des liaisons. Remarquez que la première définition de l'adultère dans la troisième édition internationale du dictionnaire Webster's est «relation sexuelle volontaire entre un homme marié et une femme autre que son épouse légitime, ou entre une femme mariée et un homme autre que son époux légitime», la seconde étant un «défaut de chasteté en pensées ou en actes». Toutefois, aucune de ces définitions ne me semble exacte et je trouve celle de la deuxième édition plus proche de la réalité. Elle parle d'«un abus de confiance... d'une infidélité à une charge ou à une obligation morale» au même titre qu'une relation sexuelle en dehors du mariage.

Pour moi, *ce mot s'applique à N'IMPORTE QUEL manque de confiance* (et pas seulement entre les membres d'un couple marié).

Le rapport sexuel n'a même pas besoin d'avoir lieu. En fait, ces «relations de cœur» peuvent même être plus déloyales que des relations purement physiques. **La femme, particulièrement, est plus encline à quitter son mari lorsqu'elle réalise un puissant lien affectif avec un autre homme**. Cela risque particulièrement de toucher celle qui ne s'est pas mariée par amour ou qui souhaite quitter son couple sans trop savoir comment.

Toute activité qui soutire trop de temps et d'énergie à votre vie avec votre partenaire est une forme d'infidélité. Cela peut comporter l'excès de travail, l'obsession avec les enfants, la pratique intensive du sport ou le jeu, tout comme les liaisons amoureuses.

2) *L'adultère est une question de personnalité*

Nous étions habitués à considérer les alcooliques comme des personnalités faibles qui ne savaient pas dire «non». Aujourd'hui, l'alcoolisme est largement considéré comme une dépendance, une maladie souvent héréditaire et non pas comme un manque de volonté.

Je n'essaie pas de dire qu'un penchant pour l'adultère puisse se transmettre génétiquement comme la tendance à l'alcoolisme — mais **qu'il existe de plus en plus de preuves, comme je l'ai remarqué dans l'exercice de ma profession et ailleurs, de l'existence d'une dynamique affective dans le comportement adultère transmis aux enfants.**

Les enfants peuvent s'apercevoir très jeunes que quelque chose ne va pas — des enfants de deux ans ont estomaqué leurs parents en babillant que maman et papa allaient se séparer. Comme je l'ai fait moi-même, ils peuvent même voir ou entendre des preuves qu'ils ont raison. Des années plus tard, ces enfants devenus adultes actualiseront leur héritage sans même savoir ce qu'ils font, en se comportant en séducteurs ou en permettant à leur partenaire de courir les jupons ou d'avoir un autre comportement anormal.

Charles a appris trop jeune

Examinons le cas de Charles, un pasteur, qui a quitté sa femme Marthe pour sa meilleure amie. La situation était particulièrement douloureuse pour ce couple qui considérait la fidélité comme une garantie indispensable du bonheur et de la moralité. Tous deux étaient enfants de parents adultères — elle le savait, lui n'en savait rien au début — et tous deux jouaient le scénario inachevé de leur enfance perturbée.

Le père de Marthe avait humilié répétitivement son épouse en étalant sa série de maîtresses. Il avait aussi rabaissé sa fille en critiquant son poids, sa chevelure et son maquillage jusqu'à la faire douter de sa féminité. «Tu es tellement maigre, personne ne voudra jamais de toi, ricanait-il. Ton nez est trop gros — tu ne pourras jamais trouver un homme.»

En apprenant la trahison de son mari, elle en a forcément déduit que son père avait raison — et elle s'est enfermée encore plus dans un silence blessé.

Pendant ce temps, Charles restait inconsciemment furieux contre sa mère parce qu'elle avait eu une liaison. Il avait été heureux de trouver une femme comme Marthe qui veillait tellement à ce que tous deux soient sincères l'un envers l'autre. Mais intérieurement, il voulait punir les femmes pour ce que sa mère avait fait — et il était sans le savoir obligé de répéter ses péchés.

Les partenaires adultères ne sont pas des êtres salis et corrompus par leurs trahisons, pas plus que les alcooliques le sont par leurs excès de boisson. Ils ne souhaitent pas être jugés ni punis par la société, car ils se punissent suffisamment eux-mêmes ainsi que leurs familles. Ils souhaitent plutôt cesser de stigmatiser ce comportement et traiter avec les forces qui le motivent.

3) *L'adultère est thérapeutique*

Très souvent, l'adultère est une tentative maladroite pour permettre à une relation de couple difficile de survivre. L'accent est toutefois à mettre sur le fait qu'elle est *maladroite*.

On ne parvient pas à réparer ce qui ne va pas dans une relation de couple avec une complication supplémentaire.

Georges, par exemple, se disait heureux d'avoir épousé Hélène qui faisait une merveilleuse mère pour leurs quatre enfants — malgré qu'elle ne soit plus vraiment intéressée par la sexualité. Il avait une liaison avec une collègue de travail et il essayait de lui donner une valeur thérapeutique: «*Je sens qu'obtenir la sexualité dont j'ai besoin ailleurs que dans mon couple me rend plus heureux et plus satisfait, et que cela le sauvera.*» Il s'avéra que Hélène ne partageait pas cette opinion — et c'est ce qui les a amenés tous deux à me consulter.

Parmi certains thérapeutes, il existe une tendance inquiétante à suggérer que l'infidélité puisse stabiliser un couple. Certains partenaires adultères affirment cependant que la sexualité en dehors du mariage peut apprendre aux partenaires à devenir de meilleurs amoureux, au plus grand bénéfice de tous.

Il s'agit, bien entendu, d'une théorie principalement soutenue par tous ceux qui cherchent une justification à leurs errements. **Mais l'idée que l'infidélité puisse enrichir une relation serait risible si elle n'était pas si destructrice.** Cela ressemble beaucoup à l'histoire de l'homme qui se donnait des coups de marteau sur la tête parce que c'était tellement bon quand il arrêtait.

Oui, il est possible d'utiliser une liaison adultère pour renforcer votre union — mais cela demande beaucoup d'honnêteté et d'efforts, tout en étant assez douloureux.

Persister à sortir et à coucher à gauche et à droite pour trouver une raison d'être à son mariage est une désillusion pathétique. Ce n'est pas efficace et c'est la raison pour laquelle l'adultère se termine dans 65 p. 100 des cas par un divorce.

Les survivants de l'adultère connaissent le prix qu'ils doivent payer. Je ne connais pas de cas dans lequel ils envisageraient de recommencer — à part Henri et Colette. Ils ont divorcé pour cause d'infidélité et épousé respectivement leur amant et maîtresse. Ils se sont ensuite jetés l'un sur l'autre au cours d'un bal de charité et ont commencé une liaison. Leur communication était bien meilleure, tout comme leurs relations sexuelles. Ils se sont remariés et — la dernière fois que je les ai vus — ils étaient fidèles et heureux en ménage.

Leur nouvelle union risque toutefois de ne pas pouvoir durer s'ils ne parviennent pas à composer avec les besoins profonds qui les ont séparés la première fois. **Ceux qui ne comprennent pas pourquoi ils se séparent ne trouveront jamais cela facile de rester (avec qui que ce soit).**

4) *L'adultère est sans danger*

Nous avons de jolies expressions pour parler d'adultère. Citons parmi les plus respectables: être infidèle, tromper, avoir une aventure, courir les jupons, sauter la clôture, etc.

Elles aident à perpétuer les mythes les plus dangereux des partisans de l'adultère sans culpabilité: personne n'est blessé, c'est simplement un plaisir.

Certains affirment que, comme les sports, il s'agit d'une activité récréative. Daniel, par exemple, le justifie ainsi: «Je ne blesse pas ma femme parce qu'elle n'en sait rien et que cette relation ne signifie rien. Ça me donne une poussée, ça m'excite. C'est comme d'aller voir un film policier.»

S'il vous plaît, ne faites pas passer le maïs soufflé.

Oui, la sexualité en dehors du mariage est un plaisir — une des raisons pour lesquelles les partenaires infidèles ont tellement de difficulté à abandonner leurs amants ou maîtresses est qu'il est agréable et flatteur d'avoir quelqu'un qui vous place en premier, que vous n'avez pas à soigner lorsqu'il a la grippe ou avec lequel vous n'avez pas à discuter d'hypothèque. **La sexualité adultère peut sembler n'être qu'une délicieuse faiblesse, tout comme le gâteau au chocolat.**

En réalité, ce «simple plaisir» ressemble plus à la cocaïne qu'au chocolat — il crée une accoutumance et est potentiellement mortel. Tous les membres d'une famille souffrent d'un adultère, et particulièrement les enfants.

Lorsqu'il est découvert, l'adultère frappe toute une famille à la manière d'un ouragan, balayant les maisons, fracassant la confiance et l'estime de soi et traumatisant les enfants.

J'entends tous les jours des phrases déchirantes comme:

- «Je ne veux plus qu'il me touche à nouveau.»
- «Je vais dire aux enfants que leur mère est une prostituée.»
- «Je n'ai plus de raisons de vivre.»

Il peut y avoir des grossesses illégitimes, des avortements traumatisants ou des maladies comme l'herpès génital à supporter. Nombre de mes patients sont suicidaires:

- «J'ai donné tout ce que j'avais à Jacques et aux enfants et, aujourd'hui, j'ai 42 ans et je suis finie», soupire Hélène qui a survécu à une tentative de suicide avec des somnifères lorsqu'elle a appris que son mari avait une maîtresse.

Vous pouvez comparer l'attirance pour des aventures à une dépendance à l'alcool, la drogue ou au travail. Comme avec toutes les autres dépendances, la dénégation est très vive.

Le conjoint ou le partenaire *sera* blessé même s'il ignore qu'il est trompé. Ceux qui prétendent que «Ça détend, on s'amuse ou il n'y a pas de mal sans implication affective» font une grave erreur. ***Ils privent leur partenaire d'énergie et d'intimité. Ils échappent au besoin d'évoluer et de changer grâce à leur couple. Ils sont malhonnêtes et déplacent leurs barrières affectives.*** Si vous accordez une réelle valeur aux gens que vous dites aimer, vous n'avez pas envie de les trahir ni de les ridiculiser.

Les raisons de l'adultère sont compréhensibles sans être pour autant excusables. Les dégâts qu'il provoque peuvent demander des générations avant de disparaître; *l'infidélité dissimule les véritables problèmes de l'individu et de la relation de couple.*

Il est temps d'arrêter de justifier le fait que les relations adultères sont agréables et qu'il est impossible de satisfaire tous ses besoins par l'intermédiaire d'une seule personne. Il est temps de cesser de propager l'idée que les femmes sont plus satisfaites par des relations sexuelles adultères. Que devient l'héritage de la génération suivante, et de *ses* propres enfants?

Nous devons admettre que l'épidémie d'adultère pose un problème aussi grave que l'inceste ou les mauvais traitements aux enfants. Et qu'elle peut aujourd'hui menacer nos vies.

Si vous pensez encore que l'adultère est innocent tant que la victime n'en est pas informée, penchez-vous sur le cas de Véronique et de Marc.

Ils allaient se marier après avoir vécu ensemble pendant trois ans. Juste avant la cérémonie, Véronique s'est senti extrêmement fatiguée et elle est allé se faire faire un bilan de santé.

Ses analyses de sang ont montré qu'elle souffrait du sida.

Son fiancé s'est révélé séropositif, mais sans aucun symptôme de la maladie; bisexuel caché, il avait contracté le virus d'un homme rencontré dans un bar.

5) *L'adultère se termine toujours par un divorce*

Vous pouvez apprendre à pardonner même si vous n'oubliez jamais. Près de 98 p. 100 de mes clients parviennent à réunifier leur couple après s'être appliqués à faire les exercices et à acquérir les attitudes de la seconde partie de ce livre.

En parvenant à reconnaître les véritables motifs de l'adultère et en sachant traiter les problèmes sous-jacents, vous parviendrez à survivre à ce traumatisme.

C'est ce qui est arrivé à Charles et à Marthe dès qu'ils ont pu dépasser leur politesse et leur incommunicabilité. Elle a dû apprendre à affronter ses blessures d'antan et sa colère actuelle; il a dû dominer son besoin de revanche.

Leur chemin de retour a été difficile: il est allé s'installer avec sa maîtresse et a refusé pendant un an d'aller voir un thérapeute tandis qu'elle reconstruisait sa vie et sa confiance en autrui. Il a toutefois fini par s'apercevoir combien il l'aimait encore et il a pu l'en convaincre.

Il a même signé un contrat spécial de fidélité qu'ils ont rédigé ensemble, statuant qu'il comprenait que, s'il la trahissait à nouveau, ce serait la fin de leur couple.

Marqués par leur expérience, le couple de Charles et de Marthe a été pourtant sauvé et, la dernière fois que je les ai vus, ils attendaient leur premier enfant.

Chapitre 2

Pourquoi tomber dans la luxure?

En nous mariant, nous nous jurons mutuellement amour et fidélité jusqu'à ce que la mort nous sépare. Aujourd'hui, près de la moitié des fiancés qui ont fait ce serment le rompent. Pourquoi?

Lorsque je reçois des couples pour la première fois en thérapie, j'essaie toujours d'en découvrir la raison en leur posant les questions suivantes:

- **Comment** en êtes-vous arrivés là l'un et l'autre?
- **Pourquoi** n'essayez-vous pas de vous satisfaire mutuellement au lieu de chercher hors de votre couple?
- **Comment et pourquoi** n'êtes-vous pas disponibles l'un pour l'autre?
- **Pourquoi** l'un de vous se croit-il obligé d'attirer l'attention en ayant une liaison adultère et en créant une situation de crise?

DES EXCUSES, DES EXCUSES

Les réponses qui m'ont été données aux questions précédentes comportaient toutes les raisons et les excuses possibles et imaginables. Certaines étaient tellement prévisibles qu'on se serait cru dans un feuilleton télévisé. Pour ceux qui les donnaient, elles avaient pourtant l'air originales et spontanées.

- Mon conjoint ne me comprend pas.
- Elle me casse les pieds.
- Elle s'implique trop avec les enfants.
- Il travaille tout le temps.
- Il fait toujours passer sa mère en premier.
- C'est une bonne épouse, mais la sexualité ne l'intéresse pas.

J'entends aussi parfois des histoires romantiques sur l'adultère.

- L'adultère est comme un monde de conte de fées que je n'ai pas pu trouver dans mon couple.
- Il donne une sensation de vacances perpétuelles.
- Il a un effet sédatif, c'est un tranquillisant.
- Il est très excitant.
- Je me sens si heureuse, si vivante.

J'ai aussi entendu quelques fables. La pire a été, je crois, celle de l'homme qui persistait à affirmer à sa femme que son désir d'être poli était le seul motif de la liaison qu'il avait eue pendant un voyage d'affaires. Lorsqu'une inconnue lui avait demandé s'il voulait se joindre au «club des jambes en l'air», il avait cru qu'elle voulait parler des voyageurs prenant fréquemment l'avion et il avait été d'accord — et n'avait plus osé ensuite se rétracter. (Pour tous ceux qui n'en font pas partie, sachez que ce club est composé de contorsionnistes qui parviennent à faire l'amour dans les toilettes ou sur les sièges d'un avion.)

Le rejet du blâme

De nombreux coureurs de jupons voudraient rejeter le blâme de leur comportement sur la société et son climat de permissivité sexuelle. «Tout le monde est infidèle», proteste Marc, un vendeur qui a eu plusieurs liaisons avec des clientes. Pendant que sa femme Alice sanglotait dans mon bureau, il s'est expliqué: «*Ma femme n'est pas réaliste. Il est impossible de rester monogame aujourd'hui. Toutes les femmes que je rencontre dans une journée trompent leur mari. Elles sont toutes prêtes à sauter dans votre lit.*»

Il n'a jamais paru se rendre compte qu'il était parfaitement anormal que les choses se passent ainsi — non seulement pour lui et sa femme, mais pour toutes les femmes qui souhaitent l'admiration et l'approbation des hommes.

À titre de référence

Notons qu'il semble vraiment exister de grandes différences de motivation entre les sexes. Selon une étude effectuée en 1992 sur des époux adultères par Shirley Glass, une psychologue de Baltimore, **75 p. 100 des hommes contre 53 p. 100 des femmes affirmaient que l'excitation sexuelle était une raison suffisante à l'adultère. Et 77 p. 100 des femmes et 43 p. 100 des hommes donnaient le fait d'être tombés amoureux comme excuse.**

Nombre de ceux qui hésitent attribuent facilement le problème à un changement d'avis de leur partenaire — ou, au contraire, à leur propre incapacité à s'adapter. Il arrive souvent, par exemple, que des hommes d'affaires ayant réussi décident de quitter leurs premières épouses et de se remarier avec des femmes plus jeunes lorsqu'ils sont au sommet de leur carrière; le magazine *Fortune* appelle ces épouses de la maturité des «épouses trophées».

William et Jeannette se trouvaient plutôt dans la situation inverse. Pendant des années, Jeannette avait été une épouse passive et effacée, qui déménageait au gré des besoins de la carrière en informatique de son mari et s'habillait comme il le souhaitait. Mais par la suite, lorsque ses enfants avaient été assez grands, le mouvement d'émancipation de la femme a fini par la rattraper et «la fleur s'est épanouie». Elle a terminé ses études et obtenu une maîtrise en administration des affaires. Engagée par une firme de courtage célèbre, elle est devenue cadre supérieur. Elle dépense essentiellement pour elle-même un salaire très confortable en portant des vêtements de haute couture et en roulant en BMW.

Pendant ce temps, William surnageait difficilement et cela ne le réjouissait pas particulièrement. Il s'est donc affiché avec une de ses collègues pour tenter de retrouver sa puissance. Jeannette a refusé de revenir à la situation d'antan et a plutôt insisté pour qu'il vienne me consulter.

Après avoir vécu pendant longtemps avec quelqu'un, il est normal de s'apercevoir que cette personne ou que la situation a changé. **Ce n'est pas en se débarrassant d'une personne qu'on se débarrasse d'un problème.**

Pourquoi ne pas adapter la relation dans laquelle vous avez déjà investi autant de temps et d'amour? Pourquoi ne pas modifier votre contrat original? Parlez avec votre conjoint et renégociez-le — comme William et Jeannette ont fini par le faire.

L'infidélité se produit souvent lorsqu'une personne semble en contrôler une autre et ne respecte pas les clauses du contrat original de mariage. Le partenaire adultère désire retrouver son influence et cherche, peut-être inconsciemment, à être découvert pour pouvoir faire connaître ses sentiments.

C'est ce que Louis a essayé de faire pour attirer l'attention de Nathalie, sa femme assez distante. Lorsqu'il critiquait son comportement, elle continuait imperturbablement à faire ce qu'elle voulait — en mentant souvent. Après des années d'hésitations silencieuses, Louis a eu une liaison dans l'espoir de lui faire prendre conscience de ce qui se passait. C'est ce qu'elle a fait, mais pas de la manière qu'il pensait — elle a communiqué avec un avocat spécialiste du divorce.

LES VRAIES RAISONS DE L'ADULTÈRE

Les motifs courants de l'adultère sont aussi variés que les partenaires eux-mêmes et comptent l'ennui, la solitude ou la frustration. L'adultère est aussi parfois dicté par l'esprit de revanche. Jean, le mari de Françoise, avait une liaison avec la femme d'un de ses amis. Françoise a donc décidé de lui rendre la pareille. «Pourquoi devrais-je partir et m'occuper des enfants? Il gagne 500 000 dollars par an. Je vais simplement m'octroyer un peu de bon temps.»

Les gens en viennent souvent à avoir des aventures après une importante transition de leur vie — naissance, décès ou anniversaire.

Pour le septième anniversaire de mariage de Léon avec Alice, ses parents ont défrayé la chronique en annonçant qu'ils se séparaient après trente-deux ans de mariage. Très déçu et se sentant abandonné, Léon a dirigé son hostilité sur sa femme. Exactement comme un enfant peut avoir un comportement stupide pour punir un de ses parents, il a eu une liaison avec une amie d'Alice pour rivaliser avec sa propre mère qui avait précipité son divorce.

Meilleurs vœux

La cause de l'adultère est quelquefois une simple opportunité. J'ai vu souvent se nouer des liaisons pendant les fêtes organisées pour Noël et le Jour de l'An. Cela s'explique par un grand besoin de distractions combiné au stress du travail et de la famille, ainsi que par l'affaiblissement des inhibitions. Les amateurs de fêtes excusent aussi facilement les relations adultères que les excès alimentaires.

C'était apparemment le cas pour Claire qui a eu une aventure avec le président de son entreprise après la fête organisée pour Noël.

Le comportement de Claire était motivé par autre chose que l'abus de champagne. Il s'avéra que Noël lui donnait le cafard, car elle regrettait les vacances de son enfance. Aujourd'hui, elle vivait loin des membres de sa famille avec son mari Yvan et ce dernier avait trop de travail pour pouvoir leur rendre visite. Il était aussi trop préoccupé par son travail pour écouter Claire lorsqu'elle essayait de lui expliquer sa dépendance. *Sa tentative pour gagner l'intérêt de son mari ayant échoué, elle a donc trouvé l'intimité avec un autre homme.*

Tout comme l'aventure de Claire ou l'attitude de Léon, la plupart des adultères sont reliés à des besoins de l'enfance. **Nous pouvons chercher à retrouver une utopie, un moment d'amour sans responsabilité. Ou, dans la majorité des cas, nous essayons de compenser les blessures, les frustrations et les besoins inassouvis de notre jeunesse.**

Neuf fois sur dix, ces blessures et ces colères ont été provoquées par une forme quelconque d'abandon par un parent adultère. Toutefois, la plupart du temps, nous n'avons pas facilement connaissance de ce fait — ou ne voulons pas le reconnaître.

C'est le motif caché qui entraîne tant de gens dans des bras étrangers.

Prenez le cas de deux de mes clients qui prétendaient avoir été emportés par la vague de l'amour:

Simone, cadre dans la mode, était mariée depuis sept ans lorsqu'elle est tombée amoureuse d'un client. «Je ne pouvais pas maîtriser mon sentiment. Je savais que j'avais tort mais je ne pouvais tout simplement pas faire autrement», disait-elle.

Albert allait devenir vice-président de sa banque. «Nous avons tellement de points communs. Elle me comprend, moi et tout ce que j'essaie de faire. J'ai tenté de m'arrêter, mais je n'y suis pas parvenu», déclarait-il.

Ce qu'aucun des amoureux n'avait compris — jusqu'à ce que je fasse participer leurs parents à la thérapie — était qu'ils actualisaient leur héritage familial d'amours illicites.

Tous deux étaient en effet des enfants devenus adultes de parents adultères.

CATÉGORIES DE LIAISONS ADULTÈRES

Quelles que soient les raisons évidentes ou cachées des liaisons adultères, elles entrent souvent dans l'une des catégories suivantes.

ADULTÈRE DE PSEUDO-INTIMITÉ

Nous avons presque tous des problèmes à établir et à maintenir l'intimité, et ce type de liaison est le plus courant. C'est particulièrement vrai pour les hommes qui doivent se séparer de leur mère et affirmer leur indépendance assez jeunes pour pouvoir s'identifier avec leur père. Ce conflit brutal crée un problème d'intimité avec les femmes qui dure toute la vie.

Ces fuyards de l'intimité créent souvent un triangle amoureux qu'ils utilisent pour se brouiller avec leurs partenaires.

Sam, par exemple, a hésité pendant des années entre sa femme Sandra et sa maîtresse Liliane.

Enfant unique d'une mère possessive, il aurait espéré que sa femme puisse être aussi surprotectrice que sa mère. Mais il se sentait parfois étouffé d'être trop dorloté — tout comme lorsqu'il était enfant. Il est alors allé chez sa maîtresse (qui lui rappelait son épouse plus jeune) jusqu'à ce qu'elle lui demande tellement d'attention et de sexualité qu'il retourne chez sa femme pour retrouver la sensation qu'il avait eu auprès de sa mère.

Il a ainsi quitté et réintégré cinq fois le domicile conjugal.

«Je sais que je n'agis pas correctement, m'a-t-il confié. On dirait que je vais devenir fou.»

C'était sa propre identité que Sam ne parvenait pas à trouver chez sa femme ni chez sa maîtresse en ne parvenant pas à combler le vide qu'il avait en lui. Il n'a pu se réconcilier avec sa femme qu'après discussion de leurs motifs cachés.

Comme de nombreuses femmes célibataires peuvent en témoigner, les célibataires rompent plus facilement leurs engagements que les hommes mariés.

Robert, par exemple, a rompu avec Jeanne, son amie de quatre ans, lorsqu'elle a abordé le délicat sujet du mariage. Il est alors allé vivre avec Annie, qu'il a commencé à tromper avec son ancienne maîtresse.

Il ne faisait que répéter ce que son père avait fait à sa mère. Il ne le souhaitait pas, mais il avait fait sienne la leçon qu'il avait douloureusement apprise: l'intimité était synonyme de perte, de trahison et de souffrance.

ADULTÈRE GARANT DE PAIX

Un fort pourcentage d'adultères sont la conséquence d'efforts désespérés et maladroits pour essayer de poursuivre une relation. **«Si je parviens à trouver ailleurs ce que je n'obtiens pas dans mon couple, pense le partenaire adultère, je n'aurais pas à briser un foyer agréable.»** Comme nous l'avons vu et comme nous le verrons encore, cette manière de penser ne résiste pas au temps.

Un grand nombre de couples amateurs de paix évitent les conflits à n'importe quel prix. Quoi qu'il advienne, ils s'illusionnent en pensant qu'un mariage où la bienséance règne est un mariage heureux.

Lorsque sa femme Simone lui a dit qu'elle avait une liaison avec un autre homme, Pierre-Marc a été étonné: «Mais nous ne nous disputons jamais. Je pensais qu'elle avait tout ce qu'elle voulait... Elle ne m'a jamais dit qu'elle était malheureuse.»

C'était précisément le point délicat dont je leur ai conseillé de commencer à parler, quelles qu'en soient les conséquences. **L'infidélité frappe souvent plus fortement les couples qui ont l'air le plus tranquille...** le genre de couple dans lequel personne n'élève jamais la voix. Si nous ne connaissons pas les besoins de notre partenaire, ses désillusions et ses peurs, il risque de s'engager dans une liaison qui est un appel au secours. Les femmes raisonnent ainsi plus facilement que les hommes.

Souvent, un des partenaires agit avec une apparente docilité pendant des années en accumulant du ressentiment. Son infidélité peut alors être une tentative de provocation d'un conflit — parfois l'unique mais indispensable conflit d'une vie de couple.

Marie et Noël formaient un de ces couples. Marie était profondément malheureuse que son mari les ignore, elle et son enfant, mais elle ne parvenait pas à le lui dire. À la place, elle a grossi de 45 kg. Pendant ce temps, Noël ne se résolvait pas à lui avouer combien il se sentait négligé et trouvait répugnant qu'elle ait autant grossi. Il a donc préféré protester en ayant une liaison avec une autre femme.

N'oubliez pas qu'un couple sans dispute est un couple sans passion. Et si vous n'êtes pas assez proche de votre partenaire, il y a de la place pour quelqu'un d'autre.

ADULTÈRE ÉVACUATEUR DE TROP-PLEIN

De nombreuses femmes sont incapables de supporter un mariage sans amour ou assorti de mauvais traitements. Une liaison peut permettre d'en accélérer la fin et d'en sortir plus vite.

C'est ce qui est arrivé à Jeanne. Mariée à un homme qu'elle n'aimait pas et que sa mère autoritaire avait choisi, elle était malheureuse mais incapable de réagir. Elle a eu une liaison avec l'orthodontiste de sa sœur et elle a fait l'amour avec lui dans son cabinet en s'assurant que l'assistante s'en apercevrait. Inconsciemment, elle savait que si son mari et sa mère le découvraient, ils hâteraient la fin de son couple.

C'est un des rares motifs d'adultère qui conduisent souvent au divorce — ce que souhaitent désespérément les partenaires adultères.

Certains époux adultères veulent partir alors que d'autres veulent affirmer leur sexualité.

Avec la meilleure acceptation de l'homosexualité, je vois de plus en plus d'homosexuels qui sont peu désireux de continuer à se travestir en hétérosexuels. Ils peuvent alors se servir d'une liaison comme d'une manière d'affirmer leur différence.

Certains partenaires mariés sont moins effrayés par un rival du même sexe, persuadés qu'il s'agit de besoins qu'ils sont incapables de satisfaire. Mais d'autres sont mortifiés et considèrent cette liaison comme un affront personnel à leur sexualité.

C'est ce qu'a ressenti Jean-Claude lorsque Aline l'a laissé pour Brigitte, une femme qu'elle avait rencontrée dans un atelier d'écriture. Il pensait pouvoir se mesurer avec un autre homme, mais pas avec une femme — il s'est donc senti repoussé.

Toutefois, les pulsions homosexuelles ne sont pas toujours reconnues par les partenaires adultères.

Julien couchait avec Céline qui était l'épouse d'Albert, son meilleur ami. Les deux hommes étaient amis depuis le collège. Lorsque Céline a dit à Julien que ses relations sexuelles avec Albert diminuaient, Julien lui a offert ses services. Lorsque je lui ai demandé pourquoi, il m'a répondu «Je l'ai fait pour Albert et Céline, sans amour ni culpabilité et sans avoir conscience d'une signification cachée». Ce n'est qu'après cela que des fantasmes de relation sexuelle avec Albert sont apparus.

ADULTÈRE PAR MANQUE D'AMOUR

Comme nous l'avons vu, ceux qui ne se marient pas par amour et le rencontrent ensuite ailleurs ont plus de risques de se séparer. Il n'est donc pas surprenant de constater qu'ils ne peuvent ou ne veulent pas se donner la peine de sauver leur couple.

Un autre grand nombre de partenaires adultères *croient* toutefois qu'ils recherchent vraiment l'amour — ou au moins l'excitation sexuelle — alors qu'ils ne cherchent qu'à se sentir mieux dans leur peau.

Un grand nombre de ces liaisons se nouent au moment de l'anniversaire de la fin d'une décennie — vers 30 ou 40 ans pour les femmes et vers 30, 40 ou 50 ans pour les hommes. Ceux qui fêtent cet anniversaire éprouvent soudain une terrible sensation de vide et se demandent «est-ce tout?».

Comme Henri, les hommes vieillissants recherchent souvent une réaffirmation sexuelle. Vierge lorsqu'il s'est marié, il est devenu adultère pour son 60e anniversaire et a eu une liaison avec une femme plus jeune que lui pour voir ce qu'il risquait d'avoir perdu.

À 45 ans, Normand a décidé de ne plus laisser passer d'opportunités — de quelque nature qu'elles soient. Propriétaire d'hôtel, marié depuis quatorze ans, il a commencé à avoir des aventures à partir de son 50e anniversaire. «La sexualité avec ma femme Louise avait commencé à devenir ennuyeuse, disait-il. Aujourd'hui, j'apprécie beaucoup plus mon épouse. J'ai appris de nouvelles positions et je trouve excitant de faire l'amour avec une nouvelle femme.»

Bien entendu, la sexualité dans les couples mariés n'a pas à être ennuyeuse. Pour lui conserver de l'intérêt, vous devez être prêt à y investir du temps et des efforts, tout comme vous l'avez fait avec vos enfants, votre carrière ou votre style au tennis.

Par ailleurs, de nombreuses femmes qui changent de décennie recherchent le confort affectif. Les représentants plus jeunes des deux sexes, avec moins de curiosité à ce sujet, risquent aussi de vouloir une implication affective lorsqu'ils sont infidèles.

Barbara a eu besoin de faire augmenter son estime de soi à 30 ans. Prisonnière de sa carrière de secrétaire de direction, elle était souvent laissée seule par Jeff, son mari et bourreau de travail. Cela amplifiait son insécurité, entraînée par des parents qui avaient toujours préféré sa sœur plus belle et plus avenante qu'elle (et dont le père avait eu une liaison adultère pendant des années). Elle voulait désespérément un bébé mais ne parvenait pas à être enceinte malgré des traitements successifs contre l'infertilité.

Elle a cherché refuge dans une liaison avec Jérôme, son Casanova de patron, et l'a dissimulée sous des prétextes comme celui de travailler très tard le soir. Finalement, comme elle avait toujours souhaité que cela se produise, Jeff est venu à son agence de publicité, a convaincu le garde de sécurité de le laisser entrer et a découvert Barbara et Jérôme en train de folâtrer sur un canapé.

D'une certaine manière, je pense qu'elle en a été soulagée; Jeff a fini par réduire ses horaires de travail et a passé beaucoup de temps à essayer de sauver leur amour. Ils y sont parvenus — dès qu'ils se sont rappelés de la raison de leur conduite.

ADULTÈRE COMPULSIF

Un don Juan ou une vamp ne recherche souvent que l'intimité — mais il s'agit parfois de véritables «drogués» de sexualité qui utilisent la promiscuité comme moyen de diminuer leur souffrance. Cette catégorie de partenaires adultères fait l'objet d'une controverse, mais il existe des recherches étonnantes à ce sujet. Le docteur Jennifer Schneider, médecin de Tucson spécialisée dans le traitement de la toxicomanie, a rapporté dans une de ses conférences en 1991 que les cas de dépendance sexuelle entraient dans la définition classique de la dépendance: un comportement compulsif avec perte de la capacité à s'arrêter malgré des conséquences préjudiciables, comme la perte d'amis ou de travail. «Le patient est obsédé par la poursuite et la conquête de l'objet sexuel, et il lui consacre beaucoup de temps», disait-elle. Environ 80 p. 100 des patients dépendants de la sexualité sont des hommes, mais elle pense aussi que les femmes répugnent à admettre ce comportement.

Quelle qu'en soit la cause, un penchant pour les rapports sexuels sans restriction est une attitude anormale et dangereuse pour le partenaire adultère et le partenaire trompé à cause du risque de contracter le sida ou une MST (maladie sexuellement transmissible).

ADULTÈRE LIÉ À DES PROBLÈMES PHYSIQUES OU PSYCHOLOGIQUES

Dans de nombreux cas, certaines maladies, un abus de médicaments ou de drogues et des troubles de nature psychiatrique comme la dépression et la maniaco-dépression, peuvent conduire des partenaires à l'adultère ou à la promiscuité.

Bernard, par exemple, a divorcé deux fois — et allait divorcer une troisième fois — avant que j'intervienne et l'envoie consulter un spécialiste qui a diagnostiqué une maniaco-dépression. Après qu'il eut reçu un diagnostic et une prescription appropriés et que Laure, sa femme, se fut rendu compte que la promiscuité, les comportements compulsifs et les sautes d'humeur de son mari étaient involontaires et inconscients, elle a pu se joindre à une thérapie familiale.

Lorsque je les ai rencontrés pour la dernière fois avec leurs deux petits garçons, ils se portaient fort bien.

COMMENT LUTTER AVEC ÉLÉGANCE

Les bonnes manières interfèrent souvent avec les bonnes relations de couple. Vous ne devriez jamais laisser la politesse vous empêcher de faire connaître votre pensée à votre partenaire.

Mais ne laissez pas votre colère se déchaîner, car ce comportement pourrait aussi être destructeur.

Nous en apprendrons plus sur la manière de canaliser la colère consécutive à l'adultère dans le chapitre 9 (voir page 127).

Voici toutefois certaines règles de «combat» basées sur les travaux du docteur Harville Hendrix et de Lori Gordon, travailleuse sociale de la fondation PAIRS (Practical Application of Intimate Relationship Skills):

1) *Demandez la permission à votre partenaire.*

«J'aimerais pouvoir te parler. Est-ce un bon moment pour toi?» Puis dites-lui ce que vous avez à dire.

2) *Si ce n'est pas le bon moment, prenez rendez-vous dans les vingt-quatre heures.*

«Parlons de la visite de ta mère demain soir à 18 heures.»

3) *Limitez-en la durée.*

Nous avons tous des limites à la douleur physique ou affective. Un des partenaires peut demander une suspension si la tension devient trop forte pour lui.

4) *Refusez d'ignorer, car il y a un problème dès qu'un partenaire pense qu'il y en a un.*

Les partenaires doivent accepter leurs commentaires réciproques et se regarder dans les yeux. Ne laissez pas la télévision ou d'autres distractions vous déranger.

5) *Désamorcez la situation en parlant de vous-même au lieu de votre partenaire.*

Cela conduit presque toujours au blâme et interrompt la communication. Il est plus facile de comprendre lorsqu'on n'est pas attaqué!

EXEMPLE: **Dites:** «Je me sens très insécure lorsque tu flirtes avec d'autres femmes dans une soirée.» **Ne dites pas:** «Tu es débauché — tu te rends ridicule dans toutes les soirées où nous allons.» Essayez de maintenir la meilleure communication possible.

6) *Écoutez ce que dit votre partenaire et faites écho afin d'améliorer la communication.*

Prouvez-lui que vous l'écoutez en répétant souvent: «Ainsi, tu dis que tu te sens négligé?» Si vous ne comprenez pas bien, continuez à lui poser des questions jusqu'à ce que vous y parveniez.

7) *Approuvez ses sentiments.*

Cela ne signifie pas que vous devez toujours être d'accord, mais que vous reconnaissez qu'il se sent vraiment comme il le devrait et que c'est logique et justifié.

EXEMPLE: **Dites:** «Je comprends que tu as eu une aventure parce que je te manquais et que je travaillais trop.»

8) *Ressentez ce que votre partenaire ressent et essayez de vous mettre à sa place.*

EXEMPLE: **Dites:** «Je comprends maintenant à quel point tu t'es senti abandonné!»

9) *Ne punissez pas votre partenaire de s'être ouvert en le diminuant ou en le critiquant — sinon il se refermera aussitôt.* (Ou se retournera ensuite contre vous.)

EXEMPLE: **Si elle dit** «Je crois que tu as une liaison», **il ne doit pas dire** «C'est la chose la plus stupide que j'aie jamais entendu!».

10) *Arrangez-vous pour bien faire comprendre vos désirs et vos intentions.*

Soyez aussi sincère que possible sans être blessant — pensez à ce que comprend votre partenaire. *Soyez aussi positif que possible; votre message n'en sera que plus favorablement reçu.*

EXEMPLE: **Dites:** «C'est important pour moi que tu surveilles ton poids.» **Ne dites pas:** «Tu es si grosse que tu me dégoûtes!»

Remerciez votre partenaire de vous estimer assez pour se confier à vous. Serrez-le ensuite dans vos bras.

Chapitre 3

Tous dans la famille

Quel qu'en soit le motif apparent, l'adultère est presque toujours une affaire de famille. **Je vois chaque année de très nombreux couples en difficulté et, dans neuf cas sur dix, les parents de l'époux infidèle, du partenaire ou des deux partenaires sont adultères. La plupart du temps, mes clients ne sont pas au courant de ce fait avant que la thérapie ne le mette en évidence.**

La tendance à l'infidélité ne se transmet pas génétiquement comme la couleur des yeux ou l'hypertension artérielle. Il s'agit d'un héritage affectif, transmis de manière subtile. De nombreux partenaires adultères ne peuvent ou ne veulent pas voir immédiatement le lien familial. Comme mon père et moi, ils occultent leurs soupçons ou leurs souvenirs jusqu'à ce qu'une thérapie impliquant plusieurs générations dévoile le secret de famille.

Parfois, la suggestion qu'un penchant pour l'adultère puisse être transmis dans la famille est accueillie avec beaucoup de scepticisme ou un rire gêné. «Mon grand-père? Tromper ma grand-mère? Ma mère? Tromper mon père? Quelle idée stupide, rétorque le client mal à l'aise. Amener les membres de ma famille en thérapie? Ils ne viendront pas. C'est ridicule. Ça ne changera rien.»

Mais pensez cependant aux quelques cas célèbres que vous connaissez. Prenez, par exemple, la famille Kennedy: le patriarche,

Joseph, parlait ouvertement de sa longue liaison avec l'actrice Gloria Swanson, et les ragots sur les aventures amoureuses de ses fils John, Bob et Ted abondent.

Après des années de célibat luxurieux, John a fini par épouser Jacqueline Bouvier, dont le propre père, «Black Jack» Bouvier, était un séducteur notoire. Ni le mariage ni la présidence des États-Unis n'ont semblé réfréner les appétits de John Kennedy — on raconte qu'il a eu des aventures avec Marylin Monroe, Angie Dickinson, Judith Exner et d'autres, parfois même dans les locaux de la Maison-Blanche.

Aujourd'hui, il existe de nombreuses indications que ce modèle perturbé de liaisons adultères a été transmis aux petits-enfants du vieux Joseph. Les jeunes Kennedy ont eu plus que leur part de divorces, d'arrestations, d'excès d'alcool et de drogue — bien qu'il faille noter que Jackie Kennedy-Onassis semble avoir élevé ses enfants Caroline et John fils d'une manière qui a réduit les conséquences de leur triste héritage.

Liaisons royales

Prenez aussi la famille royale d'Angleterre dans laquelle les maîtresses — ou plutôt les «confidentes» comme on les appelle pudiquement — sont acceptées depuis longtemps et même acclamées. Voyez les souffrances qui en résultent.

Si, comme on le raconte, le prince Charles a eu une liaison avec sa confidente favorite, Camilla Parker-Bowles, tout en étant marié avec la princesse Diana, il n'a fait que perpétuer la tradition familiale. En rencontrant le prince Charles pour la première fois, Camilla s'était exclamée: «Mon arrière-grand-mère a été la maîtresse de votre arrière-grand-père! Je crois que nous avons quelque chose en commun...»

L'histoire lui donnait raison; son arrière-grand-mère s'appelait Alice Keppel et elle avait été la maîtresse du roi Édouard VII. Elle était si appréciée à la cour d'Angleterre que la reine l'avait même priée de dire adieu au roi moribond. (Elle parlait avec impudence de l'étiquette de son rôle: «Une maîtresse de roi doit d'abord s'agenouiller devant lui avant de sauter dans son lit.»)

Charles possède d'autres parents adultères (voir le «génogramme» de la page 59). Son oncle, Édouard VIII, a folâtré avec plusieurs femmes mariées avant de choisir l'une d'elles,

Mme Wallis Simpson, de Baltimore. Elle a divorcé, il a abdiqué pour «la femme qu'il aimait», et ils ont passé le reste de leur vie sous les noms de duc et de duchesse de Windsor.

Puis, bien entendu, divers scandales ont impliqué sa tante, la princesse Margaret, sa sœur, la princesse Anne, et ses frères, le prince Andrew (probablement trompé par son épouse, Sarah Ferguson) et le prince Edward (dont le célibat prolongé provoque des rumeurs d'homosexualité aussitôt démenties par le palais royal).

La princesse Diana a un lourd héritage d'amours adultères. Cinq branches de sa famille, les Spencer, sont des descendants d'enfants illégitimes du roi Charles II. Plus près d'elle, sa mère, Frances, a quitté son mari pour aller épouser son amant, Peter Shand Kydd, alors que Diana n'avait que six ans. Son père, Earl Spencer, s'est remarié ensuite avec Raine, la fille de la romancière Barbara Cartland, mais Diana ne s'est jamais sentie proche de sa belle-mère.

Si la princesse a trouvé, comme la rumeur le prétend, des consolations à l'extérieur de son couple, elle ne fait que suivre un chemin familial déjà bien tracé.

DÉNÉGATION DE LA VÉRITÉ

À part quelques aristocrates blasés, personne ne veut croire que son père ou sa mère ait pu briser les liens sacrés du mariage. **Tout d'abord, nombre de mes clients adultères nient l'existence d'infidélités dans leur passé familial. Ils me disent ensuite que leurs familles ne voudraient jamais coopérer — et même si elles le faisaient, cela ne changerait rien.**

Ils ne découvrent la vérité qu'après s'être entretenus avec leurs parents ou les partenaires de leurs parents, avec franchise et amour. La vérité est parfois blessante mais elle est aussi libératrice — elle permet de pardonner à ses ancêtres et à soi-même.

Souvent, j'ai vu la magie de ces confrontations qui permettent à des familles désunies de se réconcilier et de mettre un terme à des décennies de douleur.

C'est ce qui s'est produit avec Hervé, sa femme Sabine et toute leur famille — *mais seulement après utilisation d'un de mes propres souvenirs d'enfance pour faciliter la libération de leur secret.*

Les larmes d'une mère

Hervé, un économiste de 50 ans, avait eu une liaison avec son assistante, Maryse. Sa femme, Sabine, professeur, en avait appris l'existence d'une manière inhabituelle: il avait emmené son fils adolescent souper avec sa maîtresse, et le jeune homme avait ensuite parlé avec enthousiasme de la ravissante amie de son père.

Cette rencontre a précipité la crise qui les a amenés dans mon bureau. Je leur ai demandé à tous les deux si leurs parents avaient été infidèles.

«Je crois que mon père n'était pas très fidèle», avoua Sabine, alors que Hervé la regardait avec surprise.

«Il n'y a jamais eu d'adultère dans MA famille, objecta-t-il d'une voix forte. Au grand jamais!»

Il a cependant reconnu que sa mère semblait pleurer beaucoup — en fait, tous les jours. Lorsque je lui ai demandé pourquoi, il m'a fait une réponse vague: «Eh bien! c'était la Grande dépression et je crois qu'elle s'inquiétait pour l'argent.»

Je n'étais pas satisfaite de cette réponse et la mention de ces larmes incompréhensibles m'avait troublée.

Et m'avait rappelé comment ma grand-mère maternelle pleurait toutes les fois que l'un des personnages du feuilleton que nous regardions ensemble avait une liaison. Ses larmes étaient sincères et hors de proportion avec le mélodrame qui se jouait sur l'écran de télévision. J'ai appris par la suite que son père et son mari l'avaient fait beaucoup souffrir avec leurs liaisons adultères. J'avais dix ans lorsque j'ai moi-même pris la résolution de grandir et de devenir thérapeute pour essayer d'éviter que les liaisons fassent pleurer les gens.

Ce souvenir m'a donné un indice sur ce qui n'allait pas dans cette histoire et j'ai pressé Hervé d'amener ses parents de 80 ans pour une séance de thérapie familiale. Sa mère, Line, a vite donné la raison de ses pleurs constants: «Mon mari avait une liaison avec sa secrétaire. Je lui demandais de la mettre à la porte, mais il insistait en disant que son départ aurait été une immense perte pour son entreprise.»

C'est le même ultimatum que Sabine a donné à Hervé, trente ans plus tard.

Hervé s'est alors assis avec la bouche ouverte, stupéfié. «*Je ne savais pas, souffla-t-il, je n'en avais aucune idée avant maintenant.*»

Mais, si Hervé n'avait pas de souvenir conscient de cette période difficile dans la vie de couple de ses parents, il avait certainement été affecté par la méfiance chronique de sa mère envers son père et de la tension qu'elle engendrait. Devenu adulte, il essayait inconsciemment d'occulter ce qu'il n'avait pas pu supporter enfant.

Cette révélation s'est avérée utile pour tous. Hervé et Sabine ont décidé de rebâtir leur couple. Hervé s'est rendu compte de son éloignement vis-à-vis de son père (et, plus tard, de sa femme). Au cours d'une séance très agitée, il a serré son père dans ses bras pour la première fois, lui a dit «Je t'aime, papa» et lui a raconté qu'il avait attendu ce moment toute sa vie.

Louis, le père, pleurait mais se sentait encore trop inhibé pour rendre la pareille à son fils. Je lui ai alors dit qu'en agissant ainsi, il pourrait abattre les murailles qui avaient ruiné le couple de Hervé. Soudain, il a passé ses bras autour de son fils et a prononcé en tremblant les mots magiques «Je t'aime».

Cette déclaration de son père a permis à Hervé de renoncer au réconfort que sa maîtresse lui apportait, de la quitter et de reprendre sa relation avec Sabine.

Finalement, Louis et Line ont ranimé aussi leur propre couple — démontrant qu'il n'est jamais trop tard pour pardonner. Line a révélé que cet incident l'empêchait encore de dormir. «J'ai pleuré tous les jours pendant ces trente dernières années, lui a-t-elle avoué, précisant qu'elle ne pourrait jamais oublier la manière dont il avait ri de ses inquiétudes. Louis était pétrifié en réalisant qu'elle était toujours blessée. Il s'est excusé, elle a commencé à lui faire confiance, et ils ont pu réparer leur relation de couple.

Il est parfois difficile d'aplanir les conflits familiaux, même en étant thérapeute professionnel. J'avais certainement occulté les miens par mes nombreuses années d'analyse, tout comme l'a fait Jeanne, une autre de mes patientes.

Une thérapeute se cache la vérité

Jeanne, une psychologue, avait réussi sa vie professionnelle, mais pas sa vie sentimentale. Célibataire à 35 ans, elle m'a consulté pour explorer les raisons qui l'empêchaient d'avoir une relation durable. Elle poursuivait constamment des hommes mariés — et dès qu'ils se montraient sérieusement intéressés par une relation stable, elle les éconduisait.

En thérapie, elle a admis qu'elle avait à la fois adoré et haï son père médecin. Elle a fini par se souvenir qu'il avait eu de nombreuses liaisons avec ses infirmières et ses patientes. Sa mère était restée distante et avait tenté d'ignorer ces amours illicites. Elle a compris en réalisant qu'elle essayait de punir son père et sa mère — en séduisant des hommes mariés. Son père l'a accompagnée dans sa thérapie, et ils ont commencé une relation plus saine.

C'est seulement à partir de ce moment qu'elle a commencé à rencontrer des hommes disponibles.

FAITES LA LEÇON À VOS ENFANTS

Mais comment les enfants font-ils pour connaître les liaisons de leurs parents lorsque ces derniers restent discrets?

Ils possèdent des antennes affectives très sensibles qui peuvent percevoir les mauvaises vibrations de deux manières. **Même s'ils ne sont pas témoins d'une scène traumatisante — dispute, étreinte furtive —, ils sont parfaitement capables de sentir que leurs parents sont tendus, distants, préoccupés ou intéressés par quelqu'un d'autre.**

Avec la culpabilité, le secret, le désir sexuel ou les autres émotions puissantes qui l'habitent, le parent adultère ne dispose pas de suffisamment de temps pour accorder l'attention nécessaire à ses enfants — et ces derniers s'en aperçoivent. Mais l'inverse — s'occuper constamment d'eux pour maîtriser sa culpabilité et éviter son partenaire — peut aussi être un signal d'alarme.

Alors que les parents essaient de préserver leurs enfants de situations embarrassantes, ces derniers sont habituellement conscients des difficultés familiales. Un excès de protection peut engendrer un manque de confiance. *Souvenez-vous que les enfants comprennent les messages non verbaux, même s'ils ne le laissent pas paraître.*

Cela peut se produire alors qu'ils sont très jeunes. J'ai été consultée par les parents de jumeaux de deux ans, inquiets de les voir soudain devenir agressifs — accès de colère, excréments sur les murs. Leur mère avait une liaison avec un autre homme, mais aucun des parents ne pouvait croire que les enfants s'en doutaient.

«Comment un bébé de deux ans pourrait-il savoir, avait demandé le père. Jouons tous ensemble et nous verrons bien», avais-je répondu.

J'étais à peu près certaine que le secret allait percer pendant la «thérapie familiale par le jeu». J'ai demandé à un des enfants d'installer des poupées et des meubles dans une maison de poupée. Il a placé un personnage masculin sur le sofa et un personnage féminin sur le lit. Puis il a mis un autre personnage masculin à côté du personnage féminin et a commencé à le battre en criant «Non, non» et «Maman, méchante». Son frère a jeté le deuxième personnage masculin à terre et l'a piétiné.

J'ai alors dit: «Tu es fâché contre l'homme qui est l'ami de maman?»

À ce stade, la mère troublée a reconnu que les jumeaux avaient rencontré l'«ami de maman» — et a évidemment compris que ce dernier représentait une menace pour leur sécurité.

En résultat, grâce à la «thérapie familiale par le jeu» et en voyant la situation par les yeux des enfants, le couple a pu se rendre compte du problème et y remédier. **Dans de nombreux cas, l'enfant est perturbé, mais ce sont les parents qui ont besoin d'aide.**

Clarisse affiche le stress de ses parents

C'était certainement le cas avec Clarisse, âgée de trois ans. Elle m'a été amenée par ses parents en raison de manifestations de détresse affective: cauchemars, incontinence nocturne («pipi au lit»), angoisse de la séparation. Toutes les fois que sa mère Hélène tentait de sortir de la pièce, la petite fille s'accrochait à sa jambe en criant.

Nous avons rapidement découvert que ce dont elle avait le plus peur était de perdre ses parents qui se dirigeaient vers une séparation. Elle était consciente d'une froideur et d'une hostilité grandissantes autour d'elle et elle avait peur que sa mère parte et disparaisse pendant plusieurs jours, tout comme son père l'avait fait plusieurs fois.

Bernard et Hélène étaient deux enfants devenus adultes de parents adultères, mais ne le savaient pas. Bernard s'était comporté comme son père et avait eu de nombreuses maîtresses. Au moment où la famille est venue me consulter, il avait une nouvelle liaison avec une femme qu'il avait rencontrée lors d'un séminaire.

En langage de thérapeute, Clarisse servait de «paratonnerre» à la famille. Son comportement attirait l'attention sur un secret destructeur que la famille entière devait se partager pour pouvoir interrompre ce cycle anormal.

Révélations fraternelles

Outre les relations filiales, il existe d'autres liens familiaux puissants qui peuvent être destructeurs pour la future satisfaction conjugale. Des études récentes indiquent que les relations avec les frères et sœurs peuvent aussi exercer une force importante sur une relation de couple.

L'infidélité peut se répercuter dans une famille comme l'ont prouvé Paul et Lucien: lorsque l'un deux avait une liaison, l'autre faisait pareil au cours du même mois.

La répercussion est, bien entendu, particulièrement forte lorsque les frères et sœurs sont jumeaux comme Michèle et Simon. Simon s'était marié quatre fois et avait été infidèle à toutes ses épouses — à la plus grande désapprobation de Michèle.

Elle était résolue à ne pas répéter l'infidélité de son frère. De plus, constater l'infidélité de quelqu'un qu'elle aimait lui faisait peur de trop se lier avec un homme.

Elle en avait donc trouvé un qui serait «sûr», en la personne d'un beau pilote de ligne du nom d'Aldo qui était marié et avait cinq enfants. Il ne pourrait pas l'abandonner, car elle n'occuperait jamais la première place.

L'héritage empoisonné s'était transmis — latéralement, de Michèle à Simon.

Transmission de la culpabilité

L'enfant devenu adulte d'un parent adultère ne parvient pratiquement jamais à se débarrasser de sa peur d'être abandonné, ainsi que de la honte et de la culpabilité d'en être responsable. S'il n'arrive pas à effacer ces sentiments, il peut passer sa vie à répéter l'erreur de ses parents.

L'héritage du malheur en amour peut continuer à se transmettre jusqu'à ce que le problème soit affronté et réglé. Il ne constitue jamais une excuse à l'adultère, mais bien une raison d'essayer de comprendre et de pardonner.

TRACER SON ARBRE GÉNÉALOGIQUE

Comment savoir si l'adultère existe dans sa famille? Prenez l'histoire de votre famille et tracez un **«génogramme»**. (J'ai rencontré récemment le comédien Mel Brooks qui en parle à son inimitable manière comme d'un «diagramme de cocufiage».)

Le «génogramme», qui a été conçu par le docteur Murray Bowen et nommé ainsi par le docteur Philip Guerin fils, est un diagramme des modèles de relations dans sa famille.

En fournissant un schéma de base, le «génogramme» permet aux membres d'une famille de se confier d'une manière non menaçante. Ils ne devront toutefois pas le faire à la table lors du repas de l'Action de Grâce. Mais ils aiment tous parler des bons vieux jours. Vous risquez d'être surpris par leur franchise en les écoutant séparément ou en petits groupes. Faites des photocopies du «génogramme» vierge et complétez-les avec l'histoire de la famille de chaque partenaire de votre couple.

«Génogramme» de la famille

Voici ce qui s'est passé dans la famille L. La grand-mère m'a été adressée parce qu'elle était extrêmement déprimée et au bord du suicide. Au début, elle était tellement repliée sur elle-même qu'elle ne parvenait même pas à me regarder dans les yeux. Après avoir commencé à rédiger son «génogramme», les informations ont commencé à affluer.

Elle cachait un secret qu'elle n'avait pu confier à ses enfants — **sa première fille était née hors du mariage**. Elle avait eu une liaison avec l'homme qu'elle devait épouser plus tard et qui devait à ce moment-là se marier avec une autre femme. «Ça a été le commencement de tous mes problèmes», a-t-elle reconnu.

Progressivement, nous avons agrandi le cercle de la thérapie en y ajoutant ses enfants et ses petits-enfants. Il y a eu beaucoup de larmes lorsque nous avons retrouvé la transmission de l'adultère, de l'alcoolisme, de la cocaïnomanie et de la manière dont les descendants avaient actualisé un héritage dont ils ne connaissaient rien. Tous ses enfants avaient eu des liaisons adultères et ses petits-enfants souffraient d'incontinence, d'hyperactivité et de tendances suicidaires.

Là encore, les séances ont aussi entraîné la chaleur de la sympathie et les rires — et, à la fin, elle a déclaré: «J'avais tellement honte. J'ai gardé mon secret pendant cinquante ans. Maintenant, je me sens si légère.»

Je vous suggère de vous lancer personnellement dans un tel projet. Commencez par donner aux membres de votre famille vos raisons de rechercher des informations. «Mon mari et moi avons dû soigner notre union. Mon implication avec un autre homme était une manière d'appeler à l'aide. Mais nous ne voulions pas nous séparer, et je souhaite que cela vous permette de rechercher dans votre passé des modèles qui vous aideront et vous guériront.»

MODÈLE DE «GÉNOGRAMME»

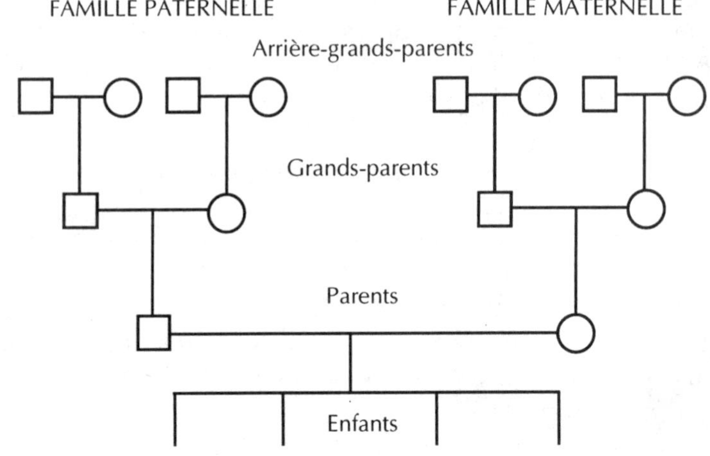

□	Homme
O	Femme
A	Adultère
A+	Adultère pendant la grossesse de l'épouse
NA	Non adultère
P	Promiscuité
R?	Rumeurs d'adultère
D	Relation affectivement distante
----	Amant/maîtresse
I	Relation parent-enfant
═	Mariage
/	Séparation
//	Divorce
—	Remariage
♥	Mariage heureux
*	Clone de partenaire adultère
**	Séparations et divorces simultanés
⊠⊘	Mort d'un parent (forme de trahison/abandon qui modifie l'intimité)

NOTE: LES MODÈLES D'ADULTÈRE ET DE SÉPARATION/DIVORCE VONT ENSEMBLE.

Que noter

- Commencez par vous-même et vos frères ou sœurs. Qui vous a donné vos noms; quels étaient vos surnoms; aviez-vous un «titre» dans votre famille, comme «notre petite travailleuse sociale»? (C'était le mien.) Remontez ensuite dans le temps, depuis vos parents, vos oncles et vos tantes jusqu'à vos grands-parents.
- Notez les âges des futures mères et les dates des grossesses, des naissances, des décès, des maladies graves et des mariages.
- Notez les séparations, les divorces, les adultères et les autres événements traumatisants comme les fausses couches ou les pertes d'emploi.
- Informez-vous sur le caractère des relations familiales:

  Qui était particulièrement proche de qui — votre mère et sa petite sœur, votre frère et un oncle?

  Qui était distant? Qui était tenu à l'écart par le reste de la famille? Pourquoi?

  Est-ce que votre famille a l'habitude de conserver des rancœurs?

  Existait-il des «clans» dans la famille? Opposés à quoi?

  Existait-il des «moutons noirs» dans la famille? Qui étaient-ils et quels étaient leurs problèmes?

  Existait-il des triangles relationnels dans la famille — votre père se tenait plus souvent avec votre frère, mais vous étiez le préféré et la joie de votre mère? Tante Émilie rivalisait avec votre mère pour l'affection de votre petite sœur?

  Existe-t-il des ressemblances physiques entre les générations? D'autres similitudes? Qui ressemble à qui?

  Voyez-vous vos parents dans votre partenaire? Et eux? Quelles sont les ressemblances entre la relation de couple de vos parents et la vôtre? Les deux relations se ressemblent-elles?

  Avez-vous le sentiment qu'il existe des secrets de famille? Lesquels soupçonnez-vous?
- Inscrivez les informations en abrégé dans un «génogramme» vierge comme celui de la page 56.

Vous serez surpris de la répétition des modèles de comportement. Par exemple, dans mon cas, j'ai remarqué que chaque frère ou sœur de ma mère avait divorcé, tout comme le frère de mon père; mes deux tantes maternelles s'étaient séparées de leurs époux adultères pendant leur grossesse. **Comme vous pourrez le constater, l'adultère et le divorce cohabitent dans le «génogramme» de la princesse Diana et du prince Charles, dans le mien et probablement aussi dans le vôtre.**

«GÉNOGRAMME» DE CHARLES ET DE DIANA

Les chances de bonheur conjugal jouaient fortement contre Charles et Diana. L'adultère et les scandales sexuels fleurissaient dans leurs deux familles. Et, bien que le divorce ne soit pas admis pour les membres de la famille royale — c'est la raison pour laquelle Édouard VIII avait abdiqué et la princesse Margaret n'avait pas pu épouser en 1955 le colonel Peter Townsend. Mais les temps ont heureusement changé. Tous les mariages royaux, depuis celui de la reine Élizabeth II il y a quarante-cinq ans, se sont terminés par un divorce ou en ont été proches.

Examinez les ancêtres les plus immédiats de ce couple.

Le **roi George V** a épousé la **reine Marie** et en a eu six enfants dont:

Édouard VIII qui a eu plusieurs aventures avec des femmes mariées avant d'épouser **Wallis Simpson**, deux fois divorcée. Après son abdication, le trône est revenu au:

roi George VI, marié avec **Lady Élizabeth Bowes-Lyon**. Il n'y eut aucune rumeur d'infidélité dans ce couple populaire qui a eu deux filles.

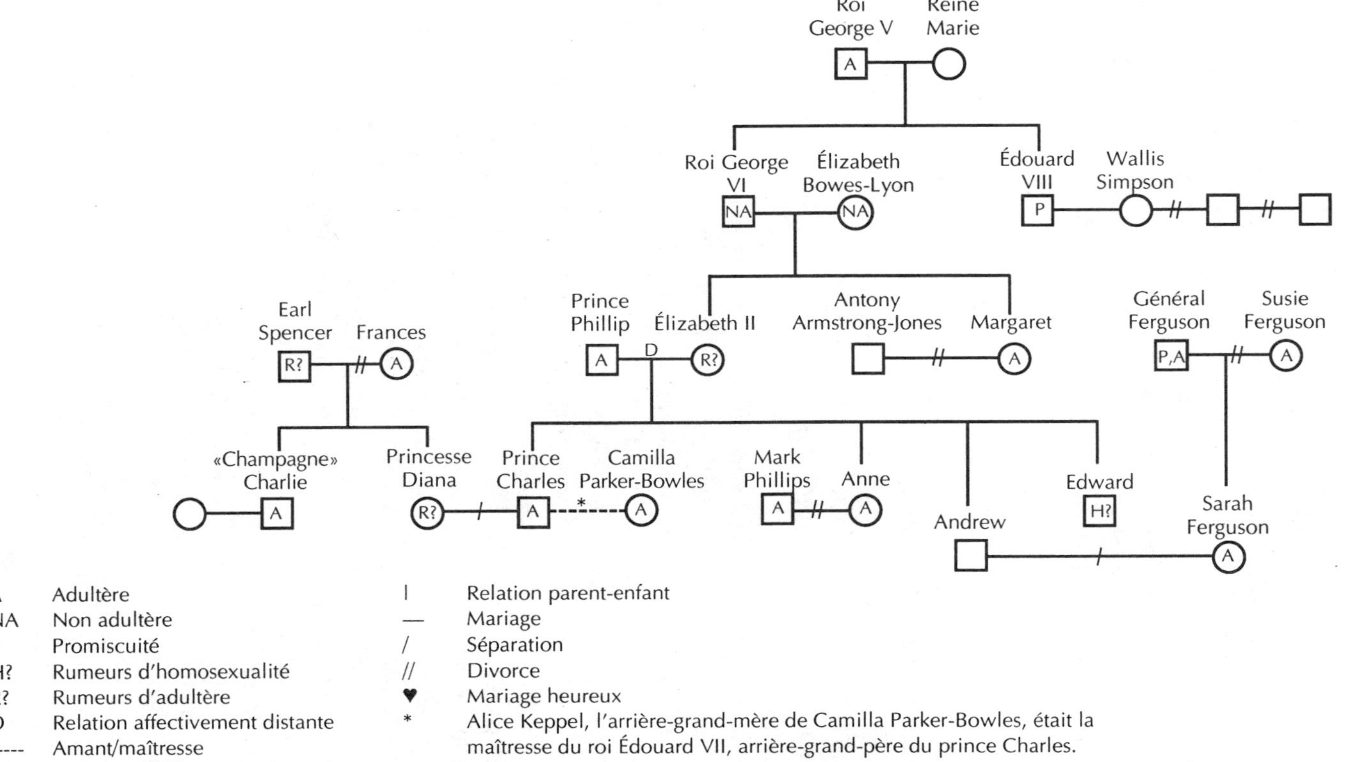
«GÉNOGRAMME» DE LA FAMILLE ROYALE D'ANGLETERRE
Roi George V
A
Reine Marie
Roi George VI
NA
Élizabeth Bowes-Lyon
NA
Édouard VIII
P
Wallis Simpson
Earl Spencer
R?
Frances
A
Prince Phillip
A
D
Élizabeth II
R?
Antony Armstrong-Jones
Margaret
A
Général Ferguson
P,A
Susie Ferguson
A
«Champagne» Charlie
A
Princesse Diana
R?
Prince Charles
A
*
Camilla Parker-Bowles
A
Mark Phillips
A
Anne
A
Andrew
Edward
H?
Sarah Ferguson
A
A Adultère
NA Non adultère
P Promiscuité
H? Rumeurs d'homosexualité
R? Rumeurs d'adultère
D Relation affectivement distante
----- Amant/maîtresse
I Relation parent-enfant
— Mariage
/ Séparation
// Divorce
♥ Mariage heureux
* Alice Keppel, l'arrière-grand-mère de Camilla Parker-Bowles, était la maîtresse du roi Édouard VII, arrière-grand-père du prince Charles.
NOTE: LES MODÈLES D'ADULTÈRE ET DE SÉPARATION/DIVORCE VONT ENSEMBLE.

Margaret, qui a épousé le photographe **Tony Armstrong-Jones** après la fin de sa liaison avec le colonel Townsend. Elle a été liée avec plusieurs hommes durant ce mariage, dont le chanteur Roddy Llewellyn. Le couple a divorcé en 1978 après avoir eu deux enfants, **Sarah** et le **vicomte Linley.**

Élizabeth II, qui a épousé le **prince Phillip de Grèce**. Des rumeurs sur son élégant mari, aristocrate sans fortune, ont couru pendant des années lorsqu'il a commencé à voyager seul en 1956. Une de ses supposées maîtresses a été l'actrice Merle Oberon qui a reçu en 1968 le prince sans la reine dans sa villa mexicaine. Aucune photo compromettante ni aucun ragot de scandale n'a été publié par la presse malgré les quelques soupçons imprimés sur la reine qui aurait reçu jadis plus que des conseils hippiques de son directeur des courses, Lord Porchester. Mais là encore, pas de preuve tangible.

Ce qui EST certain c'est que, comme beaucoup d'autres couples de sang royal, Élizabeth et Phillip font chambre à part et ont des vies séparées. Leurs quatre enfants sont (du benjamin à l'aîné):

Le **prince Edward**, célibataire, dont les rumeurs sur l'homosexualité courent depuis 1987 lorsqu'il a quitté la Royal Marine. Il n'a jamais été vu publiquement avec une femme et il est souvent accompagné d'amis masculins du monde du théâtre dans lequel il travaille.

Le **prince Andrew, duc d'York**. Ridiculisé par tous les journaux satiriques sous le nom d'«Andy, le chaud lapin» depuis son aventure avec Koo Stark, une starlette du cinéma pornographique. Il a épousé **Sarah Ferguson** en 1982.

À la différence de sa belle-sœur Diana, dont la virginité était intacte au moment de son mariage, «Fergie» a un passé agité; elle a vécu pendant plusieurs années avec Paddy McNally, écrivain et pilote de course, et a voyagé avec les riches oisifs internationaux. L'histoire de sa famille comporte aussi quelques adultères.

Ses parents, le **général Ronald** et **Susie Ferguson**, se sont séparés après que Susie fut tombée amoureuse de Hector Barrantes, un joueur de polo argentin et veuf. Le général s'est remarié mais il a été désigné par toute la presse comme client assidu d'un élégant salon de massage londonien. Il a aussi eu une liaison avec Leslie Player qui l'a confirmé dans un livre publié par la suite.

En 1992, le duc et la duchesse se sont séparés à la suite de la publication de photos de «Fergie» en vacances avec le magnat américain Steve Wyatt alors qu'Andrew faisait son métier de marin. Ces instantanés étaient bien innocents, mais d'autres montraient la duchesse sans bikini flirtant avec son conseiller financier américain, John Bryan, dans le midi de la France. (On le voyait en train de lui sucer un orteil.) L'été dernier, le couple s'est installé dans des résidences séparées. Il a deux filles, **Béatrice** et **Eugénie**.

La **princesse Anne**, mariée avec le capitaine **Mark Phillips**. Le couple a deux enfants mais il est constamment talonné par le scandale. La presse britannique accuse la princesse d'avoir eu une liaison avec son garde du corps, Peter Cross, ce qui l'a amené à démissionner en 1981.

En 1989, Phillips a eu une liaison avec Pamella Bordes, une call-girl de la Chambre des Communes et, en 1990, avec une palefrenière. Il était aussi accusé d'être le père d'un enfant illégitime en Nouvelle-Zélande et d'avoir une liaison au Canada.

Anne, pendant ce temps, avait une amitié ouverte avec **Timothy Laurence**, un écuyer de la cour d'Angleterre, avec lequel elle s'est mariée en 1992 après avoir divorcé de Mark Phillips.

Le **prince Charles, prince de Galles**, comme des millions de personnes ont pu le voir, a épousé **Diana Spencer** en 1981 au cours d'une magnifique cérémonie. Volontiers décrite comme un conte de fées, cette union ne semble pas se diriger vers une fin heureuse.

Charles, qui a été lié avec nombre de jolies femmes avant son mariage, a poursuivi sa liaison avec Camilla Parker-Bowles qu'il a rencontrée en 1972. (Elle est l'épouse du général Andrew Parker-Bowles.)

Diana, maman des princes **Harry** et **William**, ne semble pas vouloir prendre la tradition royale d'adultère au sérieux. Elle aurait pourtant des raisons de craindre les aventures extramaritales et un abandon possible.

La mère de Diana, **Frances**, est partie du foyer pour épouser Peter Shand Kydd alors que Diana n'avait que six ans. L'épouse de ce dernier a demandé le divorce en citant Frances comme responsable. Son père, **Earl Spencer, vicomte Althorp**, a eu la garde de Diana et de ses trois frères et sœurs (y compris la sœur de Diana, Jane, qui s'était amourachée de Charles avant elle) après une furieuse bataille juridique.

Son père s'est ensuite remarié avec **Raine**, la fille de Barbara Cartland, auteur de romans d'amour, mais les relations de Diana avec sa belle-mère étaient glaciales.

Son frère, **«Champagne» Charlie,** a aussi eu une liaison notoire après un mariage très médiatisé avec un mannequin professionnel.

Diana a été accusée d'avoir des relations avec divers hommes supposés lui enseigner l'équitation ou être ses gardes du corps. Son amitié la plus scandaleuse a toutefois été avec James Gilbey, un homme d'affaires britannique; des journaux ont publié des transcriptions de la bande magnétique d'une de leurs présumées conversations téléphoniques. Il l'appelait «ma petite pieuvre», l'abreuvait d'expressions romantiques et elle lui exprimait son affection. (Les bandes, enregistrées par un radio-amateur sur la fréquence du téléphone de la voiture de Gilbey, n'ont jamais pu être authentifiées.)

Au moment de mettre ce livre sous presse, le prince et la princesse sont légalement séparés et les paris sur leur divorce éventuel vont bon train.

«GÉNOGRAMME» DE MA FAMILLE

Mon but est de vous montrer à quel point l'infidélité conjugale est courante et qu'il ne s'agit pas d'une honte s'abattant seulement sur vous. **Les familles sont comme des mobiles suspendus: lorsqu'un traumatisme comme l'adultère ou le divorce en touche une partie, tout l'ensemble en est affecté.** Comme vous allez le voir dans mon «génogramme», mes parents se sont séparés après mon divorce et mon frère a divorcé. Lorsque mon oncle maternel s'est séparé, sa fille a fait de même.

«GÉNOGRAMME» DE MA FAMILLE

A	Adultère
A+	Adultère pendant la grossesse de l'épouse
NA	Non adultère
P	Promiscuité
R?	Rumeurs d'adultère
D	Relation affectivement distante
- -	Amant/maîtresse
I	Relation parent-enfant
—	Mariage

/	Séparation
//	Divorce
═	Remariage après 20 ans
♥	Mariage heureux
*	Hyman, clone de mon oncle préféré
**	Séparations et divorces simultanés dans la famille
⊘ ⊠	Mort d'un parent (forme de trahison/abandon qui modifie l'intimité)

NOTE: LES MODÈLES D'ADULTÈRE ET DE SÉPARATION/DIVORCE VONT ENSEMBLE.

Lorsque j'ai rencontré pour la première fois Jeff, mon mari, il affirmait qu'il n'y avait pas eu d'adultère dans sa famille. Ce n'est qu'après avoir tracé son «génogramme» six ans plus tard que nous avons découvert que deux parents de son côté avaient divorcé après avoir été adultères. Vous pourrez aussi découvrir sans aucun doute de nombreuses similitudes avec votre partenaire et votre famille.

Tous les enfants de parents adultères ne suivent pas forcément ce chemin — ni mon frère Bruce ni moi ne l'avons fait. Mais nous avons tous deux eu des difficultés avec l'intimité et divorcé de nos premiers partenaires — et attendu vingt ans pour nous remarier.

Remarquez bien que le divorce envahissait l'entourage de mes parents. Le frère de mon père ainsi que les sœurs et le frère de ma mère n'y ont pas échappé. Deux de mes tantes ont divorcé après avoir découvert que leurs maris les avaient trompées pendant leur grossesse; mon père l'a aussi fait lorsque ma mère était enceinte de mon frère Bruce.

Mes parents ont toutefois enduré la situation et, grâce à la thérapie familiale, nous avons tous pu nous retrouver ensemble, plus forts qu'auparavant.

Nous avons refusé de continuer à transmettre notre héritage. Vous pouvez le faire vous aussi après avoir compris vos modèles familiaux et la manière dont ils ont contribué à votre souffrance.

Chapitre 4

Le scénario secret

Jacques avait 15 ans lorsque son école l'a renvoyé un jour chez lui avec la grippe et une forte fièvre.

En entrant dans sa maison, il a entendu la radio jouer de la musique douce. Il est allé jusqu'au salon où il a été témoin d'une scène incroyable: *sa mère, les yeux clos de plaisir, dansait joue contre joue avec un inconnu qui lui caressait la poitrine.*

Le couple était trop occupé pour entendre Jacques entrer et il a donc rebroussé chemin pour aller se réfugier dans sa chambre sans faire de bruit.

Il y est resté allongé pendant des heures, torturé à l'idée de parler ou de ne pas parler de ce qu'il avait vu à son père. Il ne voulait pas le blesser, mais il ne voulait pas non plus le laisser dans l'ignorance. Et il voulait encore moins nuire à sa mère — sans lui pardonner sa trahison. Lorsque son père est rentré, il lui a donc raconté toute l'histoire. Sa mère est alors devenue furieuse et son père très pâle.

Toutefois, la famille n'a plus jamais parlé de cet incident. En l'espace d'une semaine, il a semblé complètement oublié — et Jacques l'a profondément enfoui dans sa mémoire.

Jacques a décidé, quinze ans plus tard, d'épouser Claudia, une jolie brune qui ressemblait beaucoup à sa mère. Il a alors commencé à la décevoir en ayant une maîtresse.

Lorsque le couple est venu me consulter, Jacques pleurait en disant qu'il ne parvenait pas à choisir entre les deux femmes qu'il aimait.

Pourquoi était-il devant un tel conflit?

Après plusieurs séances, son souvenir d'adolescent lui est soudain revenu en mémoire. Avec sa mère participant aux séances d'analyse, il a fini par apprendre à lui pardonner, à se pardonner et à reconstruire son couple. **Il n'avait pas pu rester fidèle ni faire confiance à une femme avant de se réconcilier avec sa mère.**

ENFANTS DE PARENTS ADULTÈRES DEVENUS ADULTES

Comme Jacques, de nombreux partenaires adultères suivent un scénario secret et rejouent des scènes dont ils ne se souviennent même pas.

Bien qu'ils ne le sachent ou ne l'admettent pas toujours, ils sont souvent les enfants devenus adultes de parents adultères.

En grandissant, ces enfants réagissent habituellement aux infidélités de leurs parents en les **répétant** ou s'en **désolidarisant.**

Ceux qui les répètent ont eux-mêmes des liaisons adultères et souhaitent réécrire le scénario ou venger des parents trompés — comme Jacques.

Ceux qui s'en désolidarisent fuient l'intimité et refusent d'être blessés une nouvelle fois par un autre partenaire — comme je l'ai fait moi-même.

La répétition de ces modèles n'est cependant pas inévitable, car tous ceux qui ont conscience de ces impulsions peuvent leur résister. Lorsque le secret de l'héritage est levé, celui-ci perd son pouvoir.

C'est ce que j'explique aux nombreux enfants de parents adultères qui viennent me voir avant de se marier ou de s'installer avec un partenaire qu'ils aiment. «Vais-je parvenir à passer le restant de ma vie avec cette femme, m'a demandé le fils d'une mère infidèle, ou dois-je continuer à chercher quelqu'un d'autre?» Inutile, l'ai-je rassuré, si vous et votre amie voulez bien collaborer. *J'ai remarqué que ceux qui discutent de fidélité avant le mariage ont plus de chances que les autres de rester fidèles.*

Chaque enfant a une réaction différente en découvrant l'infidélité de l'un de ses parents. Il existe cependant plusieurs scénarios communs entre un enfant devenu adulte et un de ses parents adultère. Il se peut que vous ne correspondiez pas directement à l'un d'eux, mais votre cas peut être une combinaison des scénarios suivants.

FILLES ADULTES DE PÈRES ADULTÈRES

En devenant adultes, les filles de pères adultères éprouvent souvent de la colère et de la méfiance — entre autres — pour les hommes. Leur estime de soi est diminuée et leurs réactions sont prévisibles.

Elles peuvent essayer de recréer leur père en épousant un mari adultère — comme ma mère, mes deux tantes et ma grand-mère — **ou de l'imiter en étant elles-mêmes infidèles**. D'autres peuvent aussi le répudier en choisissant un homme qu'elles croient INCAPABLE de les tromper. C'est ce que j'ai fait avec mon premier mari — une attitude qui s'appelle *surcompensation* en langage de thérapeute. Ou elles peuvent choisir des hommes indisponibles et devenir la maîtresse dans un triangle amoureux. Lorsqu'une fille est trop proche de son père et que ses parents forment eux-mêmes un couple distant, elle réalise son fantasme de l'appropriation du père en volant le mari d'autres femmes.

Histoire de Nelly

Une de mes clientes, Nelly, comptable de 50 ans, pensait renforcer son estime de soi en faisant changer son mari et en modifiant le scénario de son enfance. Son père, un quincaillier, couchait avec plusieurs de ses clientes et la giflait souvent, ainsi que sa mère.

Il peut sembler étonnant que Nelly — qui mieux que personne aurait dû le savoir — veuille épouser un producteur de télévision qui la trompait et la maltraitait. Tout comme les enfants d'alcooliques épousent d'autres alcooliques en pensant les changer, Nelly espérait que tout serait différent avec elle.

Mais, au lieu de cela, tout semblait vouloir se transmettre à une autre génération. Lucie, sa fille de 25 ans, venait juste de se fiancer avec Marc, un jeune homme infidèle et violent. Ce dernier a toutefois été d'accord pour participer à la thérapie familiale. Peut-être qu'en acceptant son propre héritage de violence (son père lui avait cassé le nez lorsqu'il était enfant), il pourrait le modifier.

FILLES ADULTES DE MÈRES ADULTÈRES

Ces femmes craignent souvent les relations très fermées et sont attirées par des hommes adultères, distants ou mariés. Certaines deviennent avides et débauchées, et elles essaient de se venger de leur mère ou de s'identifier à elle en prenant les maris des autres femmes. D'autres encore se retranchent, au contraire, dans la frigidité.

Histoire de Caroline

Caroline a essayé une approche différente. Jeune fille, elle avait été humiliée par les plaisanteries à propos des coucheries de sa mère dont elle avait entendu parler dans leur club de loisirs.

Elle s'était jurée d'être différente et ce n'est qu'après l'université qu'elle a commencé à coucher à gauche et à droite. Puis, honteuse des ragots qui couraient sur son compte, elle a fait de la surcompensation et est restée célibataire pendant deux ans. Elle a fini par commencer une thérapie lorsqu'elle a rencontré un homme qu'elle aurait aimé épouser, mais elle se sentait dégoûtée par la sexualité.

BELLE-FILLE ADULTE D'UN BEAU-PÈRE ADULTÈRE

Les accusations et les contre-accusations concernant Woody Allen, Mia Farrow, sa partenaire de longue date, et Son Yi, leur fille adoptive, prendront des années avant d'être éclaircies — si jamais elles le sont. Le célèbre acteur et metteur en scène n'était pas le beau-père légal de la jeune fille et il a nié avoir joué un quelconque rôle paternel pour elle (il ne vivait pas avec Mia Farrow et sa famille). Mais il a admis avoir eu une histoire d'amour avec elle — soulevant ainsi de nombreuses questions qui laissent planer un malaise en cette époque de divorces et de familles reconstituées.

L'enfant qui voit les errances de l'un de ses beaux-parents — ou qui en reçoit des avances sexuelles — développera probablement le même genre de problèmes avec les liaisons illicites que ceux décrits précédemment.

Histoire de Laure

Un des cas les plus difficiles que j'ai eu à traiter concernait Laure. Elle est venue me voir en sanglotant, car elle savait depuis des années que son beau-père trompait sa mère, mais elle ne lui avait jamais rien dit.

Elle ne s'était pas plainte non plus qu'il ait flirté avec elle. Cet homme — qui avait épousé sa mère alors qu'elle avait dix ans — la dévisageait avec avidité, disait-elle. Il lui avait demandé de danser avec lui et l'avait serrée dans ses bras, la faisait asseoir sur ses genoux (elle avait 13 ans à l'époque) et l'incitait à porter des vêtements moulants.

Elle verrouillait la salle de bain lorsqu'elle prenait sa douche, car il y entrait souvent sans frapper.

Mais la pire honte, disait-elle, était son désir à moitié réprimé qu'il la surprenne ainsi. Elle s'identifiait facilement avec la fille adoptive de Mia Farrow: «Ça pourrait être moi», disait-elle.

Récemment, il était entré dans la douche un jour qu'elle avait «oublié» de fermer la porte, et il avait commencé à la masser.

À sa grande horreur, elle avait découvert qu'elle aimait la sensation et réagissait positivement. Engagée dans une relation lesbienne et disant avoir peur des hommes, elle s'avouait bouleversée par la culpabilité et le plaisir.

FILS ADULTES DE PÈRES ADULTÈRES

À cause d'un phénomène d'identification, les hommes adultères se vantent parfois de leurs exploits à leurs fils et peuvent même les faire profiter de leurs maîtresses.

Histoire de Jean, de Philippe et de Daniel

C'était le cas pour Jean. Fils et petit-fils de maris adultères, il avait été élevé en pensant qu'il était normal qu'une femme accepte les libertinages de son mari. Son épouse, Amélie, n'était pas d'accord et lorsque leur fils de cinq ans lui avait demandé «Maman, est-ce que je vais moi aussi avoir un nouveau papa maintenant que papa a une nouvelle amie», elle lui avait donné le choix entre la thérapie et le départ.

Il n'avait pas fallu le forcer beaucoup, car le petit garçon avait supplié son père: «Est-ce que tu nous aimes encore maman et moi, avait-il demandé? Je serai sage, j'aiderai à la maison. J'irai à l'école.»

Philippe, au contraire, ne voulait pas reconnaître son héritage ni les fréquentes incartades de son père. Puis il a eu une liaison avec Lisa, une collègue de travail. Sa culpabilité à propos de sa relation adultère le faisait souffrir. «Je me sens coupable de n'importe quel côté que je me tourne, que ce soit vers ma femme ou vers ma maîtresse, m'avoua-t-il. Je ne peux plus soutenir le regard de mes enfants.» Son père a toutefois fini par le persuader de divorcer d'avec sa femme, Denise, et d'épouser sa maîtresse.

Philippe, ébranlé, n'en a pas compris la raison avant que son père ne se joigne à lui dans la thérapie familiale. Il a alors réalisé que c'était ce que son père aurait dû faire quelques années plus tôt s'il avait eu assez de bon sens. «À cette époque, ce n'était pas facile de divorcer», se défendait-il. Philippe aimait cependant toujours sa femme et il a décidé qu'il n'avait rien à voir dans les rêves de son père. Il a aussi réalisé qu'il avait choisi Denise parce qu'elle avait tout ce que n'avait pas son père — la générosité, la fantaisie, la possibilité de faire des choses que ni lui ni son père n'avaient jamais faites. Finalement, ces traits de caractère ont fini par l'exaspérer — comme cela se produit souvent à la fin de la lune de miel.

Il la priva affectivement et matériellement comme il avait été lui-même privé, et il se réfugia dans une liaison adultère. Grâce à la thérapie, il s'est rendu compte qu'il pouvait répéter ce modèle, avec sa maîtresse ou une autre femme, jusqu'à ce que lui et son père arrivent à maîtriser leur comportement.

Personne n'avait eu de relation plus compliquée avec son père que Daniel, qui hésitait sans cesse entre sa maîtresse Julie et sa femme Suzanne.

Le père de Daniel était devenu un séducteur irresponsable assez tard dans sa vie, après la mort d'Anna, sa femme. Toutes les fois que le petit garçon commençait à considérer une femme comme une belle-mère possible, son père la quittait et s'intéressait à une autre.

Il se jura donc qu'il serait éternellement fidèle et dévoué s'il se mariait. Il rencontra alors une femme très belle et exigeante, Suzanne, une fille de déportés des camps de concentration nazis, qui était déprimée et se sentait coupable d'être toujours en vie, comme d'autres survivants de cette tragédie.

Daniel a fini par trouver difficile de vivre avec cette tristesse persistante. Il se sentait maladroit, prisonnier et constamment sous pression. Il n'avait jamais accepté la mort de sa mère et ne pouvait pas se passer de la joie de vivre qu'elle avait toujours apportée dans la maison. Il la retrouvait avec sa maîtresse Julie.

Étant donné sa foi dans le caractère sacré du mariage, Daniel aurait pu rester malheureux pendant des années auprès de Suzanne. Julie a toutefois précipité les événements et lui a demandé de choisir entre elles deux. À ce stade, Suzanne lui a dit qu'il était libre de s'en aller, et elle refusait de croire que la thérapie pouvait la guérir de sa dépression.

Hélas, dans ce cas, l'union originale était IMPOSSIBLE à sauvegarder, car Suzanne ne souhaitait pas faire l'effort nécessaire. Cependant, lorsque je les ai vus pour la dernière fois, Daniel s'était remarié avec Julie et leur relation de couple était bonne. J'ai compris qu'il était parvenu à réécrire avec succès son scénario.

FILS ADULTES DE MÈRES ADULTÈRES

À cause de leur complexe d'Œdipe refoulé, de nombreux hommes refusent d'admettre que leurs mères aient pu avoir des amoureux.

Histoire de Benoît

Certains hommes réagissent comme Jacques, que nous avons rencontré au début du chapitre, et d'autres comme Benoît, qui est devenu impuissant avec son amie Louise.

À 12 ans, Benoît a surpris sa mère en train de se disputer avec son oncle substitut, un très bon ami de son père. Cet homme voulait qu'elle quitte son mari pour l'épouser, mais elle s'y refusait. Le bruit d'une bataille s'est fait entendre, deux coups de feu ont résonné et sa mère a crié au secours. Benoît s'est précipité auprès d'elle et l'a trouvée en sang, comme son oncle. Il s'est alors senti doublement trahi.

Ses parents ont ensuite divorcé et il a enfoui très profondément le traumatisme de cette scène. Avec les années, il ne s'autorisait pas à savoir pourquoi il était toujours un peu effrayé par sa mère et la critiquait d'avoir divorcé.

Son amie Louise était une femme chaleureuse et aimante qui l'adorait, mais Benoît perdait tout intérêt dans la sexualité ou ne parvenait pas à s'exciter. Il avait aussi de violentes sautes d'humeur.

En thérapie, il a dû affronter sa colère et la dépasser pour pardonner sa mère avant de pouvoir retrouver l'intimité avec son amie. Lorsque ses parents qui vivaient séparément venaient aux séances, ils se demandaient avec mélancolie s'ils n'auraient pas pu rester ensemble en recherchant une aide plus tôt.

ALLER JUSQU'AU FOND DE SOI

L'acceptation de ces remèdes douloureux n'a rien de facile, mais la catharsis (libération des affects refoulés dans l'inconscient) est un aspect nécessaire pour la guérison.

Lorsque Bruno est venu me voir pour la première fois, il était honteux et se sentait coupable à cause de la série d'aventures sans lendemain qu'il avait eues pendant que Marie, son amie de longue date, voyageait pour son nouveau travail.

Je lui ai demandé si cela le faisait se sentir seul et s'il se souvenait d'avoir eu ce sentiment lorsqu'il était enfant. J'ai commencé à le questionner et à le guider à travers son vide intérieur.

Soudain, il est DEVENU cet enfant solitaire. «Ne me laissez pas, a-t-il imploré. Je me sens abandonné lorsque vous me quittez.»

Je l'ai incité à respirer profondément et à continuer de se souvenir. Je lui ai dit d'extérioriser la souffrance qu'il avait emmagasinée pendant toutes ces années. En sanglotant, il a crié «Tu es partie sans aucun avertissement! Un jour, je suis revenu à la maison et tu étais *partie* sans même te soucier de moi.»

Il s'est avéré que le message ne s'adressait pas tellement à Marie, mais à sa mère qui était partie avec son amant quand il avait 13 ans. Le seul moment auquel Bruno avait pu la faire revenir à la maison était lorsqu'il s'était servi de la sexualité. Il était devenu un adolescent aux mœurs dissolues et elle était revenue brièvement pour le remettre dans le droit chemin.

Il essayait maintenant d'attirer l'attention de Marie avec la même tactique. «Marie, tu me manques tellement lorsque tu t'en vas, lui disait-il. Ma mère m'a manqué. Elle s'en moquait et je crains que tu t'en moques aussi lorsque tu pars.»

C'était, disait-il, la première fois qu'il avait été capable de pleurer à cause du départ de sa mère. Il a pris Marie dans ses bras et elle l'a bercé lorsque je l'ai encouragée à le faire. «Dites-lui ce qu'il aurait voulu entendre de la bouche de sa mère», ai-je alors suggéré. «Je t'aime, je ne te laisserai plus jamais, je suis désolée de t'avoir abandonné», lui a-t-elle dit.

Le couple a alors conclu une nouvelle entente de compréhension réciproque. **Elle a promis** de modifier son comportement de plusieurs manières:

- Elle lui demanderait de venir le plus souvent possible avec elle lorsqu'elle voyagerait.
- Elle l'aiderait et l'encouragerait à exprimer son amertume et sa solitude lorsqu'il les ressentirait.
- Elle essaierait de moins voyager.

Il a promis:

- De ne pas essayer, comme il l'avait fait pour sa mère, de la remplacer par une autre femme.
- De ne pas se servir de la débauche pour oublier sa douleur et sa solitude.
- De lui en faire part lorsqu'elle lui manquait.
- De subir un test de dépistage du sida.

Mais le long voyage vers la paix et le pardon n'avait fait que commencer. Je l'ai incité à rencontrer sa mère, Hélène, à laquelle il n'avait pas parlé depuis deux ans, pour traiter sa blessure et sa colère. «Si vous rompez tout lien avec elle, vous ne parviendrez jamais à finir le travail de votre enfance, lui ai-je dit. Marie rompra avec vous et vous ne serez jamais heureux.»

Cette année, la mère et le fils ont passé ensemble les fêtes de fin d'année. Hélène est venue à une séance de thérapie à laquelle Marie assistait également. Elle a serré son fils avec tendresse et s'est excusée de l'avoir abandonné. «J'aurais dû rester avec ton père, mais je ne l'estimais pas du tout à ce moment-là. Il ne s'est pas passé un seul jour sans que je ne regrette mon choix, lui a-t-elle avoué. Ne ruine pas ta vie comme j'ai fait avec la mienne, lui a-t-elle encore dit en l'incitant à apprécier l'amour de Marie. Tu es jeune, ne fais pas comme moi.» Ils ont sangloté ensemble en se berçant mutuellement et en se disant «Aide-moi, montre-moi le chemin».

Ils se sont aidés mutuellement. La mère de Bruno lui a montré comment aimer Marie. Et son soutien a encouragé Hélène à trouver la force de quitter son second mari qui la maltraitait.

J'ai bon espoir que cette réunion d'une mère et de son fils soit durable.

QUESTIONNAIRE DE L'INFIDÉLITÉ

Si vous êtes un partenaire trompé, je sais qu'il est très difficile pour vous d'agir autrement qu'en blâmant, en jugeant ou en attaquant. Cherchez plutôt des signes d'égalité. Essayez de voir quels modèles familiaux sont en jeu dans cette situation. Vous pourrez plus facilement comprendre la partie que vous jouez et passer à autre chose.

1. Soupçonnez-vous votre partenaire de vous avoir été infidèle avant le mariage? Quels en étaient les signes?
2. Avez-vous jamais parlé de monogamie avant de vous marier ou de vous installer ensemble?
3. Avez-vous fait un contrat oral à propos de l'adultère?
4. Croyez-vous, vous et votre partenaire, que l'adultère affectera ou a affecté vos enfants?
5. Vos parents, vos grands-parents ou ceux de votre partenaire ont-ils été adultères? Existe-t-il des cas de divorce dans votre famille? (Pour le savoir, utilisez le «génogramme» du chapitre précédent.)
6. Votre partenaire est-il incapable de traiter avec votre colère résultant d'un adultère?
7. Vous et votre partenaire voulez-vous sauver votre couple?
8. Avez-vous posé ou poserez-vous un ultimatum à votre partenaire?
9. Votre partenaire est-il prêt à abandonner sa liaison?
10. Pensez-vous avoir une part de responsabilité dans l'infidélité de votre partenaire? Si oui, quelle est-elle?

Étude du péché

Au début de ma recherche, j'ai interrogé 100 personnes au hasard sur leurs sentiments à propos de l'infidélité.
Il y a eu de nombreuses surprises.

Q: Vos parents, ceux de votre partenaire ou d'autres membres de votre famille ont-ils été infidèles?

R: Parmi ceux qui ont admis avoir eu une liaison adultère, 85 p. 100 ont répondu «oui»; le reste ne savaient pas.

Q: Est-ce que l'infidélité des parents affecte les enfants? Si oui, comment?

R: Tous ceux qui ont admis avoir été infidèles ont répondu «oui» à cette question.

La plupart d'entre eux ont dit penser que les enfants auraient pu se sentir «blessés et trahis».
Un homme a aussi répondu: «Oui, par exemple, en définissant certaines normes d'acceptation.»
Un couple qui se déclarait fidèle et avait été marié pendant dix-sept ans a répondu que les enfants «seront certainement affectés si la confiance totale n'existe pas entre un mari et sa femme, parce que les enfants le sentent bien.»

Q: Qu'auriez-vous fait si vous aviez soupçonné votre partenaire d'avoir une liaison?

R: Une majorité écrasante (75 p. 100 des répondants) ont dit qu'ils auraient confronté un partenaire soupçonné d'infidélité.
Près de 6 p. 100 ont dit qu'ils auraient jeté l'infidèle hors de la maison.
Seulement 2 p. 100 ont dit qu'ils l'auraient ignoré.
Deux femmes ont songé à des remèdes différents. L'une d'elles a dit qu'elle lui aurait donné un coup de pied entre les jambes.
Et l'autre, peut-être la plus cruelle de toutes, a dit qu'elle l'aurait dénoncé au ministère du Revenu.

Chapitre 5

Avoir faim d'affection

En comparaison avec les normes habituelles, Christine, cinq ans, avait beaucoup de chance. Je l'ai rencontrée alors que j'étais invitée comme spécialiste à l'émission télévisée *The Oprah Winfrey Show*, et elle m'a parue adorable et heureuse entre ses parents attentionnés.

C'était précisément le problème — et la raison pour laquelle sa famille avait été invitée à entendre mon opinion. Son père, Joseph, était absolument «gâteux» avec elle et ne pouvait rien lui refuser — même lorsqu'elle se glissait dans le lit conjugal et dormait entre ses parents toute la nuit.

Ces habitudes avaient rendu Denise, sa mère, un peu jalouse — et elle se trouvait ridicule de se sentir ainsi.

Mais je crois que ses craintes étaient justifiées. Ainsi que je l'ai dit aux parents, s'ils ne donnaient pas immédiatement certaines limites à leur fille, l'avenir serait difficile.

En grandissant, trop de «petites filles à papa» deviennent de grandes destructrices de familles en ayant de nombreuses liaisons avec des hommes mariés. «Il faut qu'elle sache que ce n'est pas correct de se glisser entre les membres d'un couple», leur ai-je dit.

L'ENFANCE: COMMENCEMENT DE NOS CHAGRINS

Une des précisions les plus importantes que je puisse donner est que même les parents les plus généreux et les plus attentionnés font des erreurs qui affectent leurs enfants lorsqu'ils atteignent l'âge adulte. Comme le philosophe et écrivain John Bradshaw en a donné conscience à des millions d'entre nous, nous sommes tous dans une certaine mesure des enfants blessés.

Chacun de nous a eu des espoirs déçus, des talents dénigrés ou des désirs non satisfaits par des parents pas plus parfaits que beaucoup d'autres — malgré la dimension de dieux qu'ils avaient à nos yeux.

Le docteur Harville Hendrix, spécialiste en thérapie conjugale du Institute for Relationship Therapy où j'ai fait un stage, explique très bien ces torts accidentels. «Même si vos parents pensaient souvent à votre intérêt, écrit-il, le message qui vous est parvenu était très froid. Il existe certaines pensées et certains sentiments que nous ne pouvons avoir, certains comportements culturels que nous devons faire disparaître et certains talents et aptitudes que nous devons renier.»

Nos parents nous ont transmis certains de leurs propres besoins non satisfaits qui remontent à leur enfance. Mais, pour éviter de voir s'installer l'anarchie, le processus de socialisation implique la frustration de quelques besoins et espoirs de l'enfance.

Là encore, ces besoins négligés peuvent provoquer beaucoup plus tard dans la vie de la frustration, des blessures et des douleurs affectives. Ces sentiments affaiblissent l'image de soi et créent un profond désir inassouvi au fond de nous-mêmes.

Le docteur Fogarty, mon maître et mentor du Center for Family Learning, appelle ce gouffre le «vide intérieur». Il le décrit comme **«un trou noir — un vide d'attentes non satisfaites par notre famille d'origine»**.

Ce vide est particulièrement grand chez les partenaires adultères. Comme pour la plupart d'entre nous, leur «syndrome de vide intérieur» débute de bonne heure.

Dans les stades de développement normal, l'enfant de plus de 18 mois, par exemple, est supposé tisser de solides liens affectifs avec ses parents. Toutefois, lorsque les personnes qui prennent soin de lui ne sont ni chaleureuses ni disponibles, le bébé peut ressentir la peur d'être abandonné et grandir en devenant un terrible chercheur d'amour qui a aussi peur de l'intimité — ce qui est le profil classique de la femme trompée.

Ensuite, entre 18 mois et 3 ans, l'enfant est censé développer une perception de lui-même et être capable de se détacher de ses parents et de retourner vers eux. La surprotection pendant cette période peut engendrer une crainte de l'absorption et finir par en faire un **fuyard** — ce qui est le profil classique de l'homme adultère.

Des blessures semblables peuvent se produire à n'importe quel moment de la vie et engendrer une sensation de vide intérieur. **Parmi les enfants les plus sérieusement blessés, on trouve ceux qui se sentent abandonnés par leur mère et leur père à la suite d'un divorce ou d'un adultère.** S'ils sont, de plus, trahis ensuite par une autre personne qu'ils aiment — comme le sont tellement d'enfants devenus adultes d'un parent adultère —, leur angoisse peut alors devenir pratiquement insupportable.

On peut considérer cette sensation de vide intérieur de trois manières différentes. Elle peut être:

- **le vide normal que chacun peut un jour ressentir;**
- **le vide résultant d'une mauvaise connaissance de soi-même ou de sa propre «perte» dans une autre personne;**
- **le vide consécutif à une relation de couple malheureuse.**

Ce sentiment torturant d'inadaptation affective, de solitude et de peur est loin d'être agréable. Nous sommes prêts à aller très loin pour éviter de l'affronter et même à oublier d'en parler à son psychiatre pendant des années de thérapie. Un grand nombre d'entre nous essaient de dissimuler leur vide en niant son existence ou en le masquant sous une apparente gaieté; certains essaient même de le combler en effectuant une foule d'activités ou en se consacrant entièrement aux autres.

La plupart essaient à tort de le combler avec de l'alcool, un excès de nourriture, un excès de travail, de la drogue ou un adultère suivi de divorce — ce qui constitue la raison de l'épidémie actuelle de liaisons adultères.

L'infidélité est une des manières les plus communes pour essayer d'échapper à la grande douleur affective éprouvée en affrontant notre vide intérieur. Il est toutefois difficile de lui échapper, car il affecte le choix d'un partenaire et la capacité personnelle à apprécier l'intimité de la relation. Il faut l'affronter et composer avec lui. Un des secrets de mon succès à aider les couples à pardonner l'impardonnable péché est d'amener les parents, les grands-parents et les enfants au stade où ils sont forcés de jeter un vrai regard sur leur vide intérieur et ses racines remontant à l'enfance. En le faisant, ils peuvent partager leur fardeau et s'aider mutuellement. *Le vide intérieur est moins inquiétant s'il est affronté avec l'amour et l'aide des autres.*

Il est souvent ressenti comme un sentiment de solitude, d'isolement, d'impuissance ou comme une dépression inexpliquée. Lorsque ceux qui le ressentent — mais ne l'ont pas reconnu — se regardent dans leur miroir intérieur, voici ce qu'ils voient:

«Je suis invisible.»

Les parents de Louise formaient un couple merveilleux — si merveilleux qu'elle paraissait souvent ne pas exister. Se sentant «vide, triste, lassée» et sans attirance sexuelle pour son mari à 30 ans, elle est venue me voir pour essayer d'améliorer sa relation de couple. L'attirance sexuelle n'était pas vraiment un problème, mais son vide affectif en était un. Elle refusait cependant d'examiner les blessures de son enfance qui l'avaient amenée à se sentir aussi insignifiante et indigne d'intérêt. **Cela faisait trop mal.** Elle hésitait donc entre son mari et son amant — qui ont tous deux fini par l'abandonner.

Elle a fait à son mari ce que ses parents lui avaient fait — et elle a fini par redevenir «invisible» une fois de plus.

«Je suis mauvaise.»

Liliane avait aussi 30 ans et elle passait son temps à «briser des couples». «Je désire ce que je ne peux pas avoir», disait-elle, et elle racontait souvent tout aux épouses de ses amants sans qu'ils le sachent ou soient d'accord. «Je suis mauvaise parce que je ne m'intéresse pas vraiment aux autres.» Elle aussi avait été la préférée de son père. Elle n'avait jamais résolu l'attirance qu'elle avait ressentie pour lui. Il l'avait encouragée parce qu'elle était en conflit avec sa mère. Aujourd'hui, elle essaie constamment de détourner les autres hommes de leur femme.

«Je ne suis pas aimé.»
Yvan n'avait jamais vraiment eu la chance de connaître son père, un pilote de ligne qui était pratiquement toujours absent. Il n'avait pas pu l'emmener voir de la lutte. Il n'avait jamais pu assister à une de ses parties de basket-ball et il n'était même pas là pour la remise de son diplôme collégial.

Yvan n'était pas très proche de sa mère, un superbe ex-mannequin qui papillonnait de soirées en vernissages. Bébé non planifié et enfant unique, il avait recherché l'amour, l'attention et la sécurité affective.

Il a épousé Nathalie mais sans jamais lui parler de ses désirs. Cette dernière a été choquée en découvrant qu'il avait une liaison. Il fallait qu'il apprenne à lui faire part de ses besoins, et elle devait apprendre à l'écouter.

FAUSSES IMAGES

Durant notre petite enfance, nous commençons aussi à composer l'image de la princesse ou du prince charmant qui sera un jour notre partenaire idéal. **Nous reconstituons cet idéal à partir des aspects positifs de nos deux parents**; nous décidons de chercher quelqu'un d'aussi fort et drôle que notre père et d'aussi élégant et généreux que notre mère.

Toutefois, nous cherchons inconsciemment quelqu'un qui possède aussi leurs traits de personnalité négatifs, de manière à pouvoir revivre notre enfance — et correctement cette fois-ci! Si notre mère était, par exemple, surprotectrice, nous risquons d'être attirés par quelqu'un qui a le même défaut — même si nous nous sommes jurés de ne jamais épouser un partenaire qui serait ainsi. *Si nous ne le trouvons pas chez lui, nous risquons alors de le rechercher dans une liaison adultère.*

Nous nous préparons à l'échec ou au moins à des difficultés dans notre couple comme nous le verrons au chapitre 6. Nos attentes sont simplement trop ambitieuses. *«Les gens essaient continuellement d'obtenir des autres ce qu'ils ne peuvent vraiment obtenir que d'eux-mêmes ou d'obtenir d'eux-mêmes ce qu'ils ne peuvent obtenir que dans une relation»*, dit le docteur Fogarty.

Une partie de notre confusion provient d'une image de soi erronée. En grandissant, nous «perdons» les traits de personnalité que nos parents n'approuvent pas; nous ne sommes plus aussi démonstratifs, exigeants ou incisifs. En réalité, nous ne perdons pas vraiment ces traits; nous les dissimulons simplement derrière notre façade publique. Puis vient alors quelqu'un qui possède précisément ces qualités — et, instantanément, les «contraires» s'attirent!

Henri affronte sa façade

Henri, un fonctionnaire de 43 ans, traversait la crise de la quarantaine — et avait une liaison adultère.

Enfant unique et solitaire, il avait été élevé par une famille peu démonstrative dans laquelle l'affection était aussi rationnée que les cadeaux ou l'argent de poche. Il avait épousé Olga qui était son contraire. Il avait tout d'abord admiré ses manières extraverties, généreuses et démonstratives avant qu'elles commencent à l'ennuyer.

Il a donc entrepris une liaison adultère avec une femme qui correspondait mieux à la façade de refoulement et de modestie qu'il offrait au monde.

Aucune de ses relations ne le satisfaisait. «Je me sens impuissant, désespéré et triste», m'avait-il dit.

Bien qu'il ait d'abord considéré la possibilité de parler à son père et à sa mère de son vide intérieur comme «d'un acte aussi dangereux que la chute libre en parachute», il a fini par le faire. Et avec beaucoup d'efforts de sa part et de celle d'Olga, leur relation de couple a commencé à s'améliorer.

Il s'est rendu compte qu'au fond de lui-même, il souhaitait pouvoir exprimer ses demandes et ses émotions de la même manière que son épouse. Finalement, Henri et Olga n'étaient pas tellement différents.

Le paradis perdu de Patricia

Un parent peut quelquefois nous aimer trop bien, comme cela avait été le cas de Patricia.

Sa mère divorcée avait fait tout son possible pour aider la petite fille à compenser la perte de son père infidèle.

Elle en avait donc fait le centre de sa vie. Tout ce que la petite fille voulait, sa mère le lui donnait (en soulageant ainsi son propre vide intérieur). Elles patinaient dans le parc, préparaient des biscuits et mangeaient du maïs soufflé devant la télévision — toujours ensemble, bien entendu.

Même lorsque sa mère était retournée au travail, elle s'arrangeait pour être toujours présente pour les jeux scolaires, les Jeannettes et les voyages scolaires.

Patricia espérait trouver les mêmes qualités chez un mari et elle a cru qu'elle y parviendrait avec Christian. Mais ce dernier était en train de démarrer une affaire et avait beaucoup de travail; il n'avait pas le temps de satisfaire les attentes utopiques de son épouse.

Elle a donc commencé une relation adultère avec son patron. Au début, c'était merveilleux mais, avec le temps, il n'a pas pu la poursuivre. Personne ne parvenait donc à faire concurrence à sa mère.

Elle est venue en thérapie parce qu'elle aimait vraiment Christian et s'inquiétait pour son couple. Elle a toutefois découvert que sa mère s'était peut-être un peu trop occupée d'elle — elle s'était souvent sentie étouffée et incapable de s'en détacher. Elle a alors compris qu'aucun homme ne pourrait lui permettre de retrouver son paradis perdu, ce qu'elle ne voulait pas de toute manière.

LA COURSE À RELAIS DE L'AMOUR

Notre vide intérieur et la fixation sur des images crée aussi un rôle secret dans nos vies amoureuses: comme l'a remarqué le docteur Fogarty, nous devenons **poursuivants** ou **fuyards.**

Chaque relation comporte un «amoureux» et un «aimé», un «chasseur» et un «chassé».

Dans une relation saine, les deux partenaires peuvent de temps à autre intervertir les rôles. La femme peut être, par exemple, demandante et l'homme demandeur. Il s'agit d'une manière amusante et inoffensive d'entretenir l'excitation, la passion et l'intrigue. Peu importe le rôle que chacun joue, car les partenaires essaient de rester très proches l'un de l'autre — mais sans se fondre l'un dans l'autre.

Les partenaires adultères amènent toutefois souvent ces rôles jusqu'à des extrêmes. Nombre d'entre eux semblent combiner les deux et devenir des poursuivants sexuels et des fuyards affectifs. De toute façon, derrière chaque poursuivant se dissimule un fuyard et derrière chaque fuyard, un poursuivant.

De nombreuses femmes — j'ai estimé leur nombre à 80 p. 100 — sont des poursuivantes qui essaient de remplir leur vide intérieur et de compléter leur personnalité avec l'amour de l'autre.

Plus elles aiment un partenaire, plus elles s'attendent qu'il les complète et leur apporte une sensation d'accomplissement.

Les **poursuivants** souffrent souvent des blessures de l'enfance suivantes:

- **abandon;**
- **invisibilité;**
- **exploitation;**
- **ignorance des parents.**

Les **fuyards**, au contraire, essaient habituellement de prendre une distance avec les misères de leur enfance suivantes en fuyant l'intimité:

- **étouffement;**
- **contrôle excessif;**
- **culpabilité;**
- **honte.**

Les fuyards sont constitués à 80 p. 100 par des hommes. *Forcés par les attentes de la société à se séparer tôt et abruptement de leur mère, ils ont par la suite de la difficulté à être intimes avec les femmes.* Ils espèrent que les poursuivantes les sauveront de leur propre solitude — tout en protégeant désespérément leur espace. Égocentriques, ils considèrent les relations amoureuses comme désirables mais dangereuses et l'intimité comme momentanée.

Mon père le fuyard

Mon père était le prototype même du fuyard. Il s'enfuyait toutes les fois que ma mère le pressait de trop près — en parlant de mariage, par exemple. Une fois, il avait fuit jusqu'à Hollywood où il avait rencontré Ava Gardner et d'autres starlettes pulpeuses. Devant cette situation, ma mère avait réagi avec élégance; au lieu de le poursuivre, elle avait continué calmement sa vie et s'était liée avec un autre homme. Des rumeurs à propos de son attitude avaient, bien entendu, rappelé mon père à l'ordre. **Les fuyards deviennent des poursuivants lorsqu'ils sont confrontés à leur propre vide intérieur.**

Pendant la plus grande partie de sa vie, maman a été une poursuivante qui manquait d'estime de soi. Elle était fille et petite-fille d'hommes adultères; son père n'était pas venu à la remise de son diplôme collégial parce qu'il avait été retenu chez sa maîtresse. Inconsciemment, elle s'était imaginée qu'elle ne méritait pas la fidélité de son mari. Ce n'est qu'après avoir fait sa propre carrière et trouvé le courage de quitter mon père que ce dernier s'était résolu à être fidèle. Même à ce moment-là, ce n'est qu'après affrontement de sa propre douleur intérieure qu'il est parvenu à respecter sa promesse, et que nous avons pu lui pardonner complètement.

Mon père était un parfait exemple d'homme souffrant des affres de la solitude. Il me disait: «Il n'y a pas plus d'attachement entre moi et ta mère qu'entre toi et ton frère. Je me sens encore plus seul en votre présence.»

Un des plus fréquents triangles amoureux implique un homme qui fuit une trop grande intimité avec sa femme, puis change d'avis lorsque sa maîtresse lui demande, elle aussi, de s'engager avec elle.

Sam, le poursuivant

C'était le cas pour Sam, que nous avons rencontré au chapitre 2. *Sa femme, Sandra, était une poursuivante; elle avait perdu sa mère à trois ans et possédait un immense besoin d'intimité.*

Sam nourrissait des sentiments ambivalents à ce sujet. Son père était un vendeur itinérant qui badinait souvent avec les femmes et n'avait jamais été vraiment présent pour lui; sa mère lui était entièrement dévouée. Trop dévouée même, comme il s'est avéré. Sam voulait échapper à son amour possessif, mais il avait aussi besoin d'être nourri affectivement.

Lorsque Sandra lui est devenue insupportable, il s'est tourné vers Liliane, sa maîtresse. Mais il revenait vers sa femme lorsque sa maîtresse lui demandait trop d'attention ou trop de sexualité.

C'était vraiment lui-même que Sam ne semblait pouvoir trouver en aucune de ces femmes. Sandra commençait à lui manquer dès qu'elle cessait de le poursuivre. Ce qu'elle réussissait toutefois était beaucoup plus que de la manipulation. Sam ayant fini par accepter de se pencher sur les problèmes d'intimité qu'il avait depuis son enfance, le couple a pu se remettre d'accord et vraiment travailler sur son union.

Robert, le fuyard

Robert, que nous avons déjà rencontré au chapitre 2, était un autre fuyard qui désirait l'intimité mais répugnait à s'engager. Lorsque Annie, l'une de ses deux amoureuses, a décidé qu'elle pouvait vivre sans lui, il a cru qu'il ne voulait pas vivre sans elle. Ils ne sont pas mariés — Robert ne voulant pas lui faire ce que son père avait fait à sa mère. Mais, comme la majorité des fuyards avec les poursuivantes, il n'avait plus de considération pour elle. Puisqu'elle a décidé de renoncer, ils essaient tous deux de régler leur problème.

REMARQUE: Je constate chez un grand nombre de mes clients que le changement peut commencer unilatéralement. Même si leurs partenaires ne viennent pas en thérapie, celui qui est trahi peut améliorer la situation.

Pour pouvoir survivre à l'adultère, vous devez avoir le désir de travailler sur votre cas. D'une certaine manière, c'est plus facile de divorcer.

Aucun de nous ne veut reconnaître le vide douloureux qui l'habite — c'est un lieu sombre et inquiétant. Mais il s'éclaire et disparaît dès que nous parvenons à le faire. Nous ne pouvons ni le remplir ni le nier, mais nous pouvons reconnaître, accepter et partager mutuellement nos besoins.

Daniel et Brigitte rompent le silence

C'est ce que j'ai pu démontrer à Daniel et Brigitte au cours d'une autre émission de *The Oprah Winfrey Show*. Cette fois-ci, le sujet choisi concernait les gens qui ne s'étaient pas parlé pendant de longues périodes — trois mois, dans leur cas.

Brigitte ne voulait ostensiblement pas parler à Daniel parce qu'il avait démoli leur voiture et avait été ramené ivre par la police après un «enterrement de vie de garçon» dans un bar de danseuses de la ville.

Mais d'autres problèmes ont fait surface quand je l'ai pressée de considérer son vide intérieur: son premier mariage s'était terminé parce que son mari avait eu une liaison avec une autre femme.

Et, plus tôt encore, elle s'était sentie totalement abandonnée par son père et sa mère alcooliques qui l'avaient confiée à un orphelinat.

«Je me sens si seule... Je ne veux pas te perdre, confessait-elle à Daniel en claquant des dents.

J'ai besoin de toi. Je t'aime.»

En retrouvant la petite fille en elle — avec l'aide de Daniel —, elle a commencé à lui pardonner et à rétablir la santé de leur couple.

Daniel et Brigitte ne l'ont jamais su, mais ils ont aussi aidé d'autres personnes. J'ai montré le vidéo de leurs efforts à Laurent, un de mes clients qui ne parvenait pas à pardonner l'adultère de son épouse. Devant les révélations de Brigitte, il a pu au moins comprendre ce que sa femme ressentait. **Il a été amené à comprendre pendant l'émission que le pardon était un cadeau qu'il pouvait se faire à lui-même.**

CONCOURS: QUELLE EST LA PROFONDEUR DE VOTRE VIDE INTÉRIEUR?

Il arrive souvent que l'adultère soit une tentative désespérée de diminuer notre vide intérieur — une des raisons pour lesquelles il est si fréquent. Tout le monde peut avoir un coup de cafard. Mais si vous êtes vraiment désespéré, vous pouvez avoir besoin d'une thérapie.

Demandez-vous:

1) Suis-je isolé?
2) Ai-je l'impression de n'avoir personne à qui parler?
3) Ai-je cette impression même en compagnie de mon partenaire ou de mes enfants?
4) Suis-je persuadé que personne n'a besoin de moi?
5) Ai-je un doute sur ma valeur?
6) Suis-je persuadé que rien ne pourra jamais changer?
7) Est-ce que je me sens aliéné par mes proches?
8) Aimerais-je que l'on s'occupe de moi?
9) Aimerais-je être aimé?
10) Est-ce que j'éprouve de la honte?
11) Est-ce que j'éprouve de l'ennui?
12) Est-ce que je crois que plus rien n'a d'importance?

13) Ai-je l'impression de vieillir et est-ce que je sens le temps passer?
14) Suis-je incapable d'atteindre mes objectifs?
15) Est-ce que je me sens sans appartenance?
16) Aimerais-je vraiment que quelqu'un m'accepte... comme je suis?
17) Est-ce que je me considère comme un raté?
18) Suis-je persuadé d'être dépourvu d'attrait sexuel?
19) Ai-je perdu tout intérêt dans la sexualité?
20) Ai-je le sentiment d'être mort à l'intérieur?

Attribuez 2 points à toutes vos réponses qui sont **Oui.** Si vous obtenez une note totale de 8 ou plus, vous souffrez du «syndrome de vide intérieur». Si vous ou votre partenaire répondez par «oui» à la plupart de ces questions, vous êtes vulnérable à l'adultère — et vous devez rechercher de l'aide pour soulager votre douleur.

Chapitre 6

Nager en eaux troubles

Mais l'amour est aveugle et les amants ne se rendent pas compte des folies qu'ils commettent.

WILLIAM SHAKESPEARE

Vous souvenez-vous de ce que vous avez ressenti la première fois que vous êtes tombé amoureux? Votre cœur bondissait dans votre poitrine et ses battements s'accéléraient à la vue de votre bien-aimé. Tout ce qu'il ou elle faisait frôlait la perfection: vous ne vous lassiez jamais de sa compagnie et en parliez constamment pendant les rares moments où vous n'étiez pas ensemble.

Malheureusement, **ce ne sont pas seulement les scénaristes de Hollywood qui**, dans leur monde imaginaire, **pensent que vous pouvez et que vous devez prolonger cette période enivrante pendant toute votre vie.**

Un grand nombre d'entre nous rêvent encore d'une interminable lune de miel et se demandent pourquoi cette période romantique se termine si souvent par un échec cuisant.

Fin de la lune de miel de Jeannine et de Louis

Lorsque Jeannine et Louis sortaient ensemble, elle appréciait ses bonnes manières et lui était fier de son élégance. Tout s'est bien passé pendant leurs trois premiers mois de mariage: il apportait des fleurs à sa femme, et elle avait toujours une superbe allure.

Mais Louis dédaigna peu à peu la routine, ce qui dérangea Jeannine: il oubliait de lui téléphoner lorsqu'il était en retard pour le dîner ou il disparaissait avec ses amis lorsque ses parents leur rendaient visite.

Le bon sens de Jeannine semblait diminuer: ses factures d'achat de vêtements sont devenues énormes et elle mettait de longues heures à se préparer.

Ils ont alors commencé à se critiquer mutuellement, puis à se disputer; elle se plaignait et lui se retirait dans un silence blessé.

Comme tous les couples mariés, après des premiers mois délirants, ils se chamaillaient pour des questions de pouvoir.

Ils avaient besoin d'apprendre à communiquer et à négocier efficacement pour pouvoir traverser ces écueils et atteindre la terre promise: l'intimité pleine et souple que j'appelle l'**amour dans la vie réelle.**

Tous les couples tombent dans la lutte de pouvoir à la fin de leur lune de miel.

Mais les inévitables désillusions qui apparaissent lorsqu'une relation de couple mûrit ne sont pas nécessairement destructrices. Nous n'avons pas besoin de nous réfugier dans le silence, l'adultère ou le divorce; nous pouvons rester ensemble et rétablir notre relation.

Ceux qui ne peuvent ou ne veulent pas s'occuper de leur propre vide intérieur — et des fausses attentes qu'ils apportent dans leur couple — n'atteignent jamais cette dimension supérieure qu'est l'amour dans la vie réelle. Trop souvent, ils se tournent vers un partenaire extramarital comme moyen de revivre leurs premiers jours de passion et d'échapper au conflit.

Il ne s'agit toutefois pas d'une réaction efficace — ils risquent de rester bloqués à ce stade et de répéter inlassablement les mêmes erreurs dans chaque nouvelle relation. (Une des raisons pour lesquelles le nombre d'adultères et de divorces augmente avec chaque remariage est que nous conservons notre problème en nous-mêmes malgré le changement de partenaire.)

La traversée des divers stades et des moments critiques d'un couple est extrêmement difficile. Nous pouvons toutefois augmenter nos chances d'y parvenir en prenant garde à certains dangers.

STADE UN: LA LUNE DE MIEL

La lune de miel contient toujours le germe de sa propre destruction. Comme nous l'avons vu dans le chapitre précédent, nous sommes tous à la recherche de la personne qui pourra nous aider à régler les problèmes non résolus de notre jeunesse. Cela signifie toutefois que nous épousons habituellement celui ou celle qui nous créera le plus de problèmes. **Nous désirons améliorer les traits négatifs de nos parents et retrouver leurs traits positifs, et nous sommes attirés par les personnes qui possèdent un grand nombre des traits que nous avions désavoués pendant notre enfance.**

Les poursuivants sont donc attirés par les fuyards. Ma mère qui pleurait sur l'infidélité de son père l'a fait et a épousé un play-boy, certaine qu'elle pourrait le changer. Avec ce genre d'illusions, il nous est impossible de voir les aspects négatifs de notre partenaire pendant qu'il nous fait la cour — et nous faisons alors marche arrière en les découvrant plus tard. **Ce qui nous attire nous repousse donc aussi.**

Par exemple, lorsque Samuel était amoureux de Gina, il était ravi de son absence d'inhibitions sexuelles. Une fois marié, il a trouvé cette attitude indécente — surtout après la naissance du bébé. Il s'est donc mis rapidement à chercher ailleurs la satisfaction sexuelle.

Comme beaucoup d'hommes, il souffrait du «complexe de la vierge et de la prostituée»; il voulait le mariage avec la vierge et la sexualité avec la prostituée. Il devait apprendre qu'une femme pouvait être mère et encore capable de pratiquer la fellation!

Ce complexe est à double tranchant. Marie aimait faire l'amour avec Paul avant qu'ils se marient, mais elle a perdu ce désir après le mariage. Il s'agit alors du «complexe de l'époux et de l'étalon».

Alors que la lune de miel ne peut pas durer toute la vie, nous *pouvons* retrouver certains de ses plaisirs. N'oubliez pas de ranimer régulièrement l'excitation en prévoyant du temps à passer ensemble, à essayer les bains chauds, les massages, la lingerie sexy, les soupers aux chandelles arrosés de champagne ou tout ce qui stimule votre passion. Cela vous aidera à créer des liens et à maîtriser l'inévitable stade suivant — la lutte de pouvoir.

Nous ne souhaitons pas vraiment abandonner cette période de flottement et de retour à l'enfance lorsque tous nos besoins sont satisfaits. **Une liaison est une répétition de la folie insouciante de la lune de miel. Essayez plutôt de la répéter dans votre relation de couple. Nous avons périodiquement besoin de nous rappeler les raisons pour lesquelles, au départ, nous avons aimé et choisi de faire passer notre partenaire en premier.**

Formation d'un couple sans passion

Quoique la passion puisse engendrer de nombreux problèmes durant la lune de miel, son absence peut être encore pire. Je m'inquiète du nombre croissant d'hommes et de femmes qui, dans les années 1990, paraissent en sauter complètement le stade. Au lieu de se marier par amour, on dirait qu'ils forment un couple pour des raisons pratiques ou pragmatiques: parce qu'ils aimeraient avoir des enfants et qu'ils voient le temps passer, parce qu'ils voudraient améliorer leur sécurité et leur prestige grâce à un compagnon riche, puissant et beau, parce qu'ils aimeraient s'installer dans leur propre maison ou parce qu'ils sont fatigués des rencontres brèves et ont peur du sida.

Cependant, seul un petit nombre d'entre nous ont vraiment la tête — ou le cœur— assez dur pour le faire. **Puisqu'un couple ne peut survivre uniquement avec la passion, nous nous retrouvons entraînés dans des remous. Selon mon expérience, ceux qui se marient sans amour finissent habituellement par chercher ailleurs — et partir.** Il leur manque la «colle» qui les tient ensemble et leur permet de traverser les changements traumatisants qui suivent souvent.

Prenez Linda, une lectrice de nouvelles de 39 ans, qui adorait son métier mais avait entendu l'alarme de son horloge biologique. Les reproches constants de ses parents — «Mais quand vas-tu te marier et fonder une famille? Nous voulons des petits-enfants... et il ne faut pas tarder!» — l'ont décidée à se mettre en quête du meilleur parti possible.

Mathieu, 41 ans, lui a semblé le bon candidat; il avait réussi, il avait une belle apparence, une bonne éducation, un bon poste dans la publicité... et il aimait se montrer au bras d'une célébrité comme Linda.

Ils étaient tous deux certains de se convenir parfaitement. Ils n'étaient cependant pas amoureux — ils n'en avaient que l'IMPRESSION. Après l'excitation des fiançailles et du mariage, ils se sont retrouvés isolés sans personne pour admirer leur perfection — et tout s'est effondré.

Un an plus tard, ils avaient tous deux des liaisons et, deux ans après s'être mariés, ils divorçaient.

Marc-André, 31 ans, s'était aussi marié pour de mauvaises raisons. Pendant qu'il étudiait à la faculté de médecine, il s'était lié avec Nancy, une infirmière de 33 ans, parce qu'il voulait quelqu'un pour s'occuper de lui, préparer ses repas et l'aider à payer son loyer. Nancy, dont la mère venait de mourir, était solitaire et elle voulait encore se sentir utile à quelqu'un.

Ils se sont donc mariés et leur couple a survécu jusqu'à ce que Marc-André finisse ses études, commence à pratiquer la médecine et gagne de l'argent. Il s'est rapidement senti étouffé par la manière dont elle s'occupait de lui. Comme c'est souvent le cas chez les médecins, il l'a quittée après être tombé amoureux d'une interne dont le père était chef du personnel dans son hôpital.

STADE DEUX: LA LUTTE DE POUVOIR

Cela devait arriver. Un jour, vous regardez autour de vous et, au lieu d'apercevoir un prince charmant dans son château, vous voyez votre partenaire avec tous ses défauts dans une cuisine en désordre.

Il est temps de faire face à la réalité: les enfants, les échéances, les factures, les corvées et des notions différentes de la ponctualité, de la propreté et de la civilité. Des incompatibilités se dessinent. Les désirs et les besoins éclatent. Je voulais que tu me donnes ce que mon père ne m'a jamais donné et tu attendais la même chose de moi.

Regardez la situation: aujourd'hui, vous êtes UN COUPLE. Chacun de vous a besoin d'une **redéfinition**: qui suis-je comme moitié d'une *paire*? Est-ce que *je* veux ce qu'il est prêt à donner? Jusqu'où irai-je pour satisfaire *ses* besoins?

Certaines personnes fuient ces questions et ces obligations et se réfugient dans d'autres bras où elles peuvent replonger dans la béatitude d'une autre lune de miel. «C'est plus effrayant pour moi d'avoir une intimité permanente avec mon épouse que d'avoir de courts moments d'intimité avec ma maîtresse», m'expliquait un de mes clients.

Il s'agit là de visions à court terme. **À moins de songer à vous contenter toute votre vie d'aventures d'une nuit — ce qui est assez difficile et dangereux à l'époque du sida —, votre liaison passera tôt ou tard au stade de la lutte de pouvoir à cause de votre engagement.**

C'est la raison pour laquelle si peu de liaisons adultères se terminent par l'abandon des époux au profit des partenaires — 5 ou 10 p. 100 selon l'expérience de plusieurs thérapeutes et 2 p. 100 selon la mienne.

«Elle se comporte exactement comme ma femme»

Examinons le cas de Hector, un pharmacien ayant quitté sa femme Anita pour Jeanne, une représentante en produits cosmétiques. Lorsqu'il est venu me consulter en cédant à l'insistance de sa femme, il m'a dit qu'elle était trop autoritaire. Tout comme sa propre mère, elle voulait que tout soit fait à sa manière. «Ma femme ne me laisse jamais choisir un spectacle ou un restaurant, disait-il. Jeanne au contraire est la partenaire idéale: *tout* ce que je veux lui convient parfaitement.»

Je n'ai toutefois pas été réellement surprise lorsqu'il est revenu six mois plus tard pour se plaindre qu'il se passait le contraire. «Jeanne fait le relevé de tous mes mouvements, m'a-t-il avoué. De plus, je voulais aller dans un restaurant italien hier soir, et elle a insisté pour que nous mangions plutôt du japonais. Elle se comporte exactement comme ma femme!»

Fin d'une autre lune de miel.

Je lui ai dit que son principal problème était de ne pas pouvoir clairement affirmer ses désirs et ses besoins. Au lieu de blâmer l'une ou l'autre femme de sa vie, il devait plutôt s'assumer seul — comme il n'avait pas appris à le faire avec sa mère.

Hector a préféré sortir de ce dilemme avec Anita plutôt qu'avec Jeanne. «J'ai une vie avec ma femme et deux enfants à la maison», m'a-t-il dit.

Si vous ne parvenez pas à régler vos conflits de l'enfance, ce n'est qu'une question de temps avant que votre maîtresse ne se mette à ressembler à votre épouse ou à vos parents. Vous ne trouverez jamais ce que vous cherchez si vous changez de partenaire pendant ce stade au lieu de changer personnellement et de modifier votre relation de couple.

Cette période d'adaptation est difficile, mais elle peut aussi ramener l'excitation et l'engagement dans une relation — et même inspirer sa propre ardeur. Tout comme les histoires de bonnes femmes le disent, *C'EST agréable de s'embrasser et de se réconcilier* — pourquoi croyez-vous que les conteurs d'histoires soient souvent de vieilles femmes?

Rétablir la communication interrompue

De nombreux couples stagnent au stade de la lutte de pouvoir parce que les partenaires sont trop polis pour s'exprimer en mots. Diane et François, par exemple, étaient amoureux depuis le collège et n'avaient jamais eu de lutte de pouvoir, mais ils avaient aussi rarement fait l'amour.

Dans ce que je pense être une tentative de sauver son couple, François a provoqué une crise avec une relation adultère que Diane découvrirait forcément.

Comme prévu, elle l'a su et c'est ce qui les a amenés à me consulter. Ils devaient apprendre à lutter avec élégance (voir les règles dans le chapitre 9). Ils ont commencé à partager les peurs que leurs parents perfectionnistes avaient laissé s'installer en eux et ont appris à rire et à pleurer ensemble.

Aujourd'hui, ils apprécient le troisième stade de leur union parce qu'ils ont fait volontairement cet effort.

Comme le précise Barbara De Angelis dans son livre *Are You the One For Me*, «Souvenez-vous que tomber amoureux est très facile, mais que bâtir un couple solide demande beaucoup de travail».

STADE TROIS: L'AMOUR DANS LA VIE RÉELLE

> Outre son caractère présumément «héréditaire», l'amour était censé être quelque chose de facile. Une fois adulte, juste au bon moment, la «bonne» personne surgirait et on la reconnaîtrait immédiatement. On tomberait amoureux et l'on saurait tout naturellement quoi faire pour que cet amour s'épanouisse. Je sais aujourd'hui que l'amour est très difficile.
>
> JOHN BRADSHAW, *Le défi de l'amour*

Bradshaw a raison.

Très peu de partenaires souhaitent fouiller le vide secret qui est à l'intérieur d'eux-mêmes ni identifier leurs besoins et les faire connaître à leurs parents ou à leurs partenaires. Nous sommes trop paresseux, trop malheureux ou trop fatigués. Au lieu de cela, nous changeons de partenaire ou nous optons pour la solitude.

Indéniablement, l'amour dans la vie réelle peut demander du temps à se réaliser: 35 ans, dans le cas de mes parents. Et, comme nous l'avons vu, nombreux sont ceux qui n'y parviennent jamais.

Mais ceux qui réussissent connaissent une grande sensation de plénitude.

À ce stade, notre amour est trempé comme de l'acier. Notre relation n'est pas statique — nous négocions les termes de notre union selon le changement et l'évolution des partenaires.

Il ne s'agit pas d'une seconde lune de miel, car les partenaires ont tous deux plus de sagesse et de clairvoyance. Ils ont appris à partager leurs objectifs; ils savent qu'aider son partenaire satisfait ses besoins et peut aussi satisfaire les leurs. Si mon manque de ponctualité l'a, par exemple, toujours rendu fou, je peux changer en sachant que cela le rendra heureux en plus de me faire plaisir en améliorant l'impression que j'ai de diriger ma vie.

Comme nous l'avons vu, les partenaires ont souvent recours à l'adultère dans une tentative *inefficace* de terminer le travail de leur enfance. Le mariage est souvent une manière *efficace* d'y parvenir, car il permet de se réaliser et d'atteindre le bonheur réciproque.

Le contrat «cara mia»

Voyons le cas de Margarita. Son mari François avait été pris de panique lorsque la promotion qu'il attendait avait récompensé un candidat plus jeune que lui. Ses cheveux s'éclaircissant et son ventre s'arrondissant, il recherchait un regain de fierté et a entrepris une liaison avec sa belle et jeune assistante.

Sa femme Margarita était belle, charmante et très aimée par tous ceux qui la connaissaient. Aussi, lorsque François a emmené sa nouvelle maîtresse au restaurant où le couple avait ses habitudes, le personnel s'est donné le mot.

Un soir, alors que les tourtereaux soupaient, le sommelier leur apporta une bouteille du champagne préféré de François en précisant que c'était de la part d'une admiratrice. La carte qui l'accompagnait portait ces simples mots: «Je t'aime, cara mia.»

C'était le nom affectueux qu'il donnait en privé à Margarita.

François se dépêcha de souper et se précipita chez lui.

Sa femme l'attendait dans un élégant déshabillé et elle lui dit simplement «Nous devons parler».

C'est ce qu'ils firent — pendant six heures. Il lui parla pour la première fois de son vide intérieur et de sa solitude. Elle lui parla aussi de son propre vide, maintenant que les enfants avaient quitté la maison.

Elle reconnut aussi qu'il l'avait blessée en se tournant vers quelqu'un d'autre qu'elle — et elle lui fit promettre de ne jamais recommencer.

C'est ce qu'il a fait et leur couple s'en est ensuite très bien porté. *Ils ont survécu à la lutte du pouvoir et l'ont utilisée à leur avantage.*

MOMENTS CRITIQUES

Peu importe le stade auquel se trouve votre couple, il peut être ébranlé par des moments de transition. En atteignant l'un de ces moments difficiles, notre vide intérieur se manifeste et nous sommes particulièrement vulnérables à l'infidélité.

J'ai remarqué que, dans de nombreux cas, des liaisons commencées pendant ces moments de transition sont des tentatives désespérées de retarder le changement et de réaffirmer le *statu quo*. Comme pour François, le partenaire adultère peut essayer de soulager ses angoisses sans détruire son couple.

Les séparations sont fréquentes dans ces périodes mais elles ne sont pas inévitables — comme Margarita nous l'a démontré.

Rappelez-vous simplement que *toutes les relations de couple sont fragiles et surtout dans ces moments-là — essayez donc d'être particulièrement communicatif avec votre partenaire.*

LES SEPT MOMENTS LES PLUS CRITIQUES

1) *Naissance d'un bébé*

L'arrivée prochaine d'un enfant à la suite d'une adoption ou d'une grossesse réveille un grand nombre de nos démons endormis. Un partenaire peut être effrayé ou contrarié par l'intrus s'il se rappelle ce qu'il a éprouvé à la naissance de ses frères ou sœurs. Une future mère et même un futur père risque d'être pris de panique: *«Je ne suis pas prêt à grandir et à devenir papa ou maman!»*

Marguerite était tellement heureuse en apprenant qu'elle était enceinte de deux mois après plusieurs fausses couches qu'elle n'a pas remarqué que Félix ne partageait pas sa joie.

À cause de ses expériences précédentes, elle a été excessivement prudente. Il lui fallait beaucoup de repos au lit et elle avait peur des rapports sexuels.

Comme les deux partenaires évitaient l'intimité, Marguerite n'a jamais parlé de ses peurs à Félix, et il était trop égocentrique pour les avoir remarquées. Il a donc commencé une liaison avec une collègue parce que ses amertumes de l'enfance étaient revenues. Il se rappelait comment ses parents s'étaient occupés de sa petite sœur et avaient ignoré leur fils timide et intellectuel, et il craignait que cela recommence.

Parfois, la grossesse est une tentative maladroite pour ressouder un couple. **Elle peut aussi provoquer une liaison adultère.**

Denise et Guy, deux médecins résidents d'un grand hôpital, se servaient du travail, de la fatigue et du badinage amoureux pour conserver leurs distances; tous deux avaient des liaisons. Denise s'est rendu compte que leur amour n'irait pas très loin ainsi et elle est délibérément tombée enceinte. Guy est devenu furieux et ils ont choisi la thérapie.

2) *Crise de la quarantaine*

C'est une crise qui frappe aussi bien les femmes que les hommes.

Marlène et Luc avaient toujours évité les conflits. Marlène avait 18 ans lorsqu'elle s'était mariée — en partie parce qu'elle se sentait très seule lorsque ses parents travaillaient tard dans leur magasin d'alimentation. Marlène a fini par en hériter et Luc en prit la direction. Cela l'a troublée car leurs soirées de travail lui rappelaient sa solitude d'enfant.

Lorsqu'elle a essayé de venir rejoindre Luc au magasin, il a écarté sa suggestion. Cependant, sa voisine, Louise, ne l'écartait pas; ils avaient tous deux de longs débats sur la politique locale toutes les fois qu'ils se rencontraient. Ils se sont rapidement engagés dans quelque chose d'autre. «Il remarquait lorsque j'allais chez l'esthéticienne et le coiffeur, expliquait Marlène. Il admirait ma capacité à évaluer les candidats politiques. Il trouvait que j'étais quelqu'un de spécial.»

3) *Perte d'emploi*

Un grand nombre d'entre nous associent l'estime de soi au statut professionnel et lorsqu'ils n'y parviennent pas, tout semble se briser.

C'est le cas de Marcel qui avait été profondément ébranlé lorsque sa manufacture de vêtements avait fermé pendant la récession. Auparavant puissant et en bonne santé, il n'a pas accepté l'humiliation de sa faillite. Il avait toujours été son propre patron et, lorsqu'il s'est mis à chercher du travail, tout le monde lui a dit qu'il était trop qualifié.

Il avait 53 ans et il a compris que c'était une manière polie de lui dire qu'il était trop vieux.

Son estime de soi s'est brusquement effondrée. *C'était exactement comme son plongeon brutal lorsqu'il a eu un frère à 16 ans.* Il n'avait jamais oublié cette souffrance; il essaie maintenant de la soulager en badinant avec la séduisante représentante d'une agence de «chasseurs de tête» qui l'aide à chercher un emploi.

4) *Décès*

La mort nous rappelle tous nos conflits non réglés et l'intimité qui aurait pu exister. Mais, aussi, bien sûr, l'éventualité de notre propre mort.

Denis, un courtier en valeurs mobilières de 40 ans, a été très ébranlé par la mort de son père. Bien qu'il l'ait aimé profondément, il ne lui avait jamais parlé de la liaison adultère qu'il avait eue et ne la lui avait pas pardonnée. Il exprimait sa colère en s'identifiant à lui.

Peu après les funérailles, Denis a courtisé une de ses collègues et en a fait sa maîtresse. Sa femme Sylvie a été humiliée lorsqu'elle l'a appris par des rumeurs. Denis l'aimait cependant profondément et, après avoir porté le deuil de son père et lui avoir pardonné sa trahison, il a pu mettre fin à sa liaison et se consacrer au grand amour de sa vie.

La mort d'un enfant peut être encore plus dévastatrice.

Lorsque Pierre, le fils de Michèle et d'André, est mort dans un accident de moto à 16 ans, ils ont été profondément blessés moralement. Michèle en voulait à André de lui avoir permis une moto. Ils étaient trop ébranlés par cette tragédie pour pouvoir en parler ensemble et ils se sont séparés après qu'André eut entretenu une brève liaison.

5) *Maladies/Handicaps*

Les maladies ou les handicaps compromettent souvent les relations de couple et nous nous sentons souvent coupables de l'admettre.

Jacques et Carole aimaient tous deux le jeune Jacques fils, qui était un enfant très difficile. Hyperactif, il parcourait en trombe la maison jour et nuit. Carole se dévouait totalement à ses soins qui comportaient une alimentation spéciale, des exercices et une surveillance constante.

Jacques se sentait négligé et coupable d'avoir fait une erreur pour lui ou pour son fils. Ses propres parents s'étant attendus qu'il soit un modèle dans tout — comment pouvait-il être un modèle de père avec un fils comme celui-là?

Il a donc fui dans une liaison adultère.

6) *Divorce des parents*

Cette circonstance peut nous bouleverser autant qu'un décès, surtout si nous craignons d'être «prisonniers» d'une quelconque manière. (En fait, j'ai vu cette peur influencer le comportement d'autres membres de la famille qui ont divorcé eux aussi.)

Régine a été sidérée d'apprendre que ses parents divorçaient après trente ans de vie commune. Fâchée contre son père qui avait entrepris la procédure, elle s'est défoulée en ayant une liaison avec un homme plus âgé qu'elle. Elle en laissait des indices partout, en espérant presque qu'on découvre son aventure. Lorsque ce fut le cas, toute la famille est allée en thérapie. Elle et son mari ont fini par se réconcilier — tout comme ses parents.

7) *Changement de statut social*

Il s'agit parfois de la retraite, comme dans le cas du père de Régine. Souvent, il s'agit du retour au travail d'une femme après des années passées à élever des enfants. Je me souviens encore de la manière dont mon propre père a réagi lorsque ma mère a décidé à la fin de leur trentaine d'ouvrir un magasin d'antiquités. Un jour que j'étais au magasin avec elle, il a téléphoné et lui a demandé de rentrer immédiatement à la maison.

Pour quelle raison? Il essayait de se préparer un sandwich au thon et ne savait même pas comment ouvrir la boîte.

Ma mère lui a expliqué — au téléphone — comment faire et comment préparer la salade. Le lendemain, il savait non seulement comment agir seul — mais il lui en a même apporté un.

Ils n'ont cependant pas résolu leurs problèmes — et papa a rapidement eu une nouvelle liaison.

Une fois que vous êtes conscient de la manière et de la raison pour lesquelles les problèmes séparent deux personnes, vous pouvez les envisager de front. C'est la première de plusieurs étapes difficiles mais réalisables.

Chapitre 7

Affronter les faits

Lorsque Valérie a mis sa cassette d'exercice à 6 h 15 un matin, elle a vu plus que la séance d'entraînement prévue. Elle s'attendait à Jane Fonda, mais c'est son mari Léon cabriolant, nu, avec une représentante de son bureau de courtier immobilier qu'elle aperçut à la télévision.

Elle portait un corset de dentelle rouge, un porte-jarretelle et des chaussures à talon haut. Le pire, c'est que le duo se faisait mutuellement l'amour oral — quelque chose que Léon n'avait jamais voulu essayer avec elle!

C'était certainement la preuve la plus flagrante d'adultère du partenaire que l'une de mes clientes ait jamais reçue. (Léon avait *«accidentellement»* oublié cette cassette, qu'il avait lui-même enregistrée, parmi celles de son épouse.) Même s'ils sont habituellement plus subtils, la plupart des partenaires fournissent souvent de nombreux indices sur leur inconduite.

Je suis sûre que les liaisons adultères font plus que «simplement se produire». Et je pense aussi qu'elles n'arrivent pas sans avertissement. Dans la plupart des cas, si les signaux d'alarme avaient été pris en considération, la liaison aurait pu être interrompue ou même évitée. Sa découverte est plus souvent une confirmation qu'une véritable surprise. La plupart du temps, le partenaire connaît inconsciemment ou soupçonne la trahison — tout comme les enfants. Cela ne signifie toutefois PAS que le partenaire trompé doive supporter tout le blâme.

Je ne crois pas à l'excuse utilisée par de nombreux hommes et femmes adultères «Je n'aurais jamais fait ça si tu ne m'y avais pas incité».

Mais si les partenaires déçus ne poussent pas forcément ceux qui les déçoivent à l'adultère, ils leur donnent souvent la permission de le faire — et leur en fournissent même l'opportunité. Comme l'époux de l'alcoolique, le partenaire trompé permet la poursuite de ce comportement parce qu'il en nie ou en ignore les signes avertisseurs.

Les deux partenaires jouent d'ailleurs un rôle. Il faut tenir compte de deux faits à propos de l'infidélité:

- **Un partenaire qui n'est pas satisfait mais refuse de le reconnaître court de grands risques.**
- **Un partenaire qui n'entend pas ce que l'autre lui dit court aussi de grands risques.**

ÉTABLIR DES LIMITES

Comme Margarita dans le chapitre précédent, les survivants du mariage savent établir des frontières à leur comportement, les définir clairement et les renforcer au besoin.

Vous et votre partenaire devez décider de la latitude que vous vous donnez. Oubliez ce que la société ou votre ministre du culte juge immoral et contentez-vous de ce que vous croyez vous-mêmes.

Vous devez parler de vos convictions sur la monogamie et la fidélité avant de vous marier ou de vivre ensemble et en reparler de temps à autre pendant la durée de votre union.

Où mettez-VOUS les limites? Voici quelques indications qui vous permettront de vous décider.

FANTASMES

En 1986, lorsque le magazine *People* a fait un sondage auprès de ses lecteurs pour savoir ce que le mot «infidélité» signifiait pour eux, 21 p. 100 des répondants ont déclaré à la surprise générale que le simple fait de penser à faire l'amour avec quelqu'un d'autre que son partenaire était une infidélité.

Pourtant, la majorité des Nord-Américains trouvent normal de fantasmer à l'occasion. La plupart d'entre eux comprennent que leurs partenaires rêvent parfois à un chanteur ou à une actrice célèbre — même s'ils ne veulent pas en entendre parler et surtout pas dans les moments d'intimité!

La question est toutefois plus délicate si notre partenaire éprouve des élans de passion pour quelqu'un qui nous est beaucoup plus proche.

C'est ce que Roger a découvert lorsqu'il a fait la grave erreur de dire à Harriette, sa partenaire de longue date, qu'il éprouvait du désir pour l'une des célibataires qui partageaient leur chalet de ski.

Cela n'aurait pas été si grave s'il s'en était tenu là, mais il s'est extasié sur elle avec des détails précis. Comme Harriette était déjà effrayée par l'intimité, cette attitude l'a frappée comme un coup de couteau dans le cœur.

En thérapie, Roger a fait une découverte: il EST parfois possible d'aller trop loin dans la communication. Il a compris que sa trop grande sincérité était moins innocente qu'elle en avait l'air. *Il a reconnu qu'il testait l'amour de sa partenaire; il souhaitait qu'elle l'arrête d'une manière démontrant combien elle l'aimait.* Elle a compris qu'aller dans une maison pleine de jolies femmes célibataires était sa manière d'éviter l'étouffement. Mais quel bon moyen de s'attirer des ennuis!

Ceux et celles qui se sentent dangereusement attirés par une autre personne doivent essayer de se confier moins ouvertement. Parlez à votre partenaire de vos sentiments de dépression, de solitude ou d'exclusion. Inspirez-vous ensuite des phrases suivantes: «Je ne veux pas avoir de liaison. Je sens que je pourrais le faire, mais je ne le veux pas. Je ressens comme une cassure, tu me manques lorsque tu passes beaucoup de temps à travailler, à t'occuper du bébé, etc. Je me sens très vulnérable. J'ai besoin de quelqu'un, et c'est de toi.»

Flirt

Allez-vous trop loin en commençant à vivre vos fantasmes en flirtant avec quelqu'un?

Cette situation est toujours explosive — demandez à n'importe quel vieux couple combien de disputes ont eu lieu à la suite de fêtes ou d'un cocktail dans le jardin d'un voisin.

Aujourd'hui, la tension monte plus que jamais: l'«innocente plaisanterie» d'un homme peut devenir un cas de harcèlement sexuel, surtout dans le contexte du travail. Les hommes et les femmes éprouvent souvent des sentiments différents dans ce cas, tel que les réactions au procès de Clarence Thomas/ Anita Hill l'ont démontré.

La seule solution offerte aux partenaires est d'affirmer avec conviction LEURS propres règles. Par exemple:

- Tu peux battre des cils pour quelqu'un ou le regarder dans les yeux, mais pas danser joue contre joue avec lui.
- Tu peux flirter lorsque ton partenaire n'est pas là, mais pas lorsqu'il est là. Ou inversement.

Le couple qui va toujours séparément dans des soirées et cherche à s'y faire des amis risque de ne pas obtenir ce que les partenaires souhaitent l'un de l'autre. Un flirt persistant et prolongé n'est pas dû au hasard ni innocent — c'est un signe d'avertissement. *Rappelez-vous que l'adultère n'arrive jamais par hasard.*

Essayez de fixer clairement vos règles dans votre relation de couple et souvenez-vous que **le problème existe vraiment dès qu'UN SEUL des partenaires pense qu'il existe**.

Amitié

La plupart d'entre nous croient qu'il EST possible d'avoir une amitié avec un membre du sexe opposé, même si nous pensons que c'est improbable.

Mais de nos jours, alors qu'une majorité de femmes travaillent hors de leur foyer, les tentations sont énormes. Les collègues hommes et femmes mangent ensemble à midi, travaillent tard le soir sur les mêmes dossiers et font ensemble des voyages d'affaires. Tout cela sans aucune implication amoureuse — bien que nous ressentions parfois un petit accès de jalousie lorsque nous entendons parler de la remarque spirituelle faite par «Geneviève» à la réunion des vendeurs ou de l'incroyable service de «Laurent» au tennis.

Il ne faut pas dissimuler ces sentiments. Il faut en parler. **Ne vous y trompez pas, plus de la moitié des partenaires adultères rencontrent leurs amants ou maîtresses au travail.**

Parlez à votre partenaire si vous sentez qu'il met votre relation de couple en danger en passant trop de temps avec un ou une collègue de bureau. *Vous pouvez faire connaître vos sentiments et fixer vos limites sans avoir l'air paranoïaque — et vous pouvez brandir un signal d'arrêt qui vous aidera tous deux à définir vos limites.*

AFFAIRES DE CŒUR

Des amitiés vécues quotidiennement peuvent se transformer en relations compliquées que j'appelle des «affaires de cœur» et qui peuvent être dévastatrices.

Voyons le couple Martine et Michel. Michel pensait que Martine avait une réaction excessive devant le temps qu'il passait avec Suzie, la sœur de sa partenaire. Ils avaient tous deux tellement de choses à se dire, car lui était architecte et elle décoratrice d'intérieur. Quel mal y avait-il à ce qu'ils s'assoient ensemble sur la plage, ce qui déplaisait à Martine, ou à ce qu'ils passent toute une nuit à discuter? Tout cela était strictement platonique... Suzie était une fille extraordinaire.

«Je restais assise comme une femme invisible, disait Martine, excellente conceptrice de vêtements. Je me serais peut-être sentie mieux s'ils *avaient* couché ensemble. Je pouvais la concurrencer dans ce domaine, mais je n'avais pas ses connaissances professionnelles. Ils ont une communion de pensées. Elle a toujours été mieux que moi.» Martine était profondément troublée par cette trahison affective qui lui rappelait la douleur de son enfance. Une fois encore, Martine passait en second après sa sœur.

Ces liens affectifs peuvent être extrêmement dangereux même s'ils n'ont rien de sexuel. Ils sont plus difficiles à rompre que les liens physiques. Dans des cas semblables, l'intrus finit souvent par épouser le partenaire.

Réfléchissez bien à ceci: si vous investissez du temps et de l'affection dans cette amitié, vous en restera-t-il assez pour votre partenaire?

Ce n'était certainement pas le cas pour Éric. Ce biochimiste était devenu très lié avec Maude, collègue de recherche, alors qu'ils terminaient tous deux leur doctorat. Ils jouaient aussi souvent ensemble au tennis.

Là encore, Émilie, l'épouse d'Éric, ne s'en inquiétait pas. Elle savait qu'elle était plus attirante que Maude, petite et trop musclée, et que, de plus, leur propre vie sexuelle était très *passionnée*.

Quelques mois plus tard, Émilie est venue me voir en pleurant amèrement. Éric voulait divorcer pour épouser Maude. Ils n'avaient jamais couché ensemble, car Éric était farouchement opposé à l'infidélité. Mais il disait qu'elle avait des qualités comme le potentiel intellectuel et les capacités athlétiques qu'Émilie ne pouvait pas concurrencer. Émilie avait encouragé Éric dans ses efforts pour le doctorat, car elle était certaine qu'il le terminerait.

Éric et Émilie se sont réconciliés mais seulement après qu'Éric se fut rendu compte de ce qu'il avait toujours refusé d'admettre, c'est-à-dire combien il avait besoin de son épouse. Son amitié avec Maude était un effort pour prendre de la distance vis-à-vis d'Émilie et pour dissimuler sa vulnérabilité.

LA TENTATION DE GALAAD

Les nobles intentions déclenchent souvent des liaisons adultères. Lorsque vous volez au secours d'un ami, comme le chevalier Galaad, ou Florence Nightingale, vous pouvez être tenté d'offrir plus que votre soutien moral.

Voyez ce qui est arrivé à Carole et à Jean ainsi qu'à leur amie Viviane.

Très prise par sa profession, Carole avait demandé à son mari de consacrer un peu de temps à réconforter Viviane, devenue veuve récemment. Il passait souvent la voir, l'aidait à accrocher des tableaux au mur, rédigeait son rapport d'impôts ou bavardait simplement avec elle; il admirait son courage et essayait de lui éviter le découragement.

Carole semblait oublier le temps que son mari et Viviane passaient ensemble.

Lorsque Jean et Carole sont partis en croisière pendant leurs vacances, il leur a semblé normal d'y inviter aussi Viviane. Carole a cependant souffert du mal de mer la plupart du temps et, lorsque le trio est revenu au port, Jean et Viviane étaient des amants profondément liés.

Carole avait permis à une situation potentiellement dangereuse de se développer, mais elle n'avait rien fait pour pousser son mari à l'adultère. Son désir d'être une amie généreuse s'était retourné contre elle.

Dans de telles situations, le partenaire infidèle trouve souvent très difficile de mettre fin à sa liaison. «Je ne peux pas blesser une personne si éprouvée à un tel moment», se dit-il. Rolande, par exemple, a été très proche de son collègue Henri, après son grave accident de voiture. Elle lui a rendu visite régulièrement à l'hôpital et l'a aidé à faire des exercices pour retrouver la mémoire et la parole.

Lorsqu'il est sorti, il lui a prouvé sa gratitude en l'invitant à souper sans son mari Gilles. Les choses ont empiré et ils se sont vite engagés dans une relation adultère passionnée.

Rolande éprouvait cependant peu de culpabilité, car elle lui avait permis de se rétablir. Comme le dit la chanson, «STOP — IN THE NAME OF LOVE.» (Au nom de l'amour, arrête-toi.)

Que devez-vous faire si vous suspectez ou si vous craignez qu'une amitié se transforme en liaison amoureuse? **Ne posez jamais de questions directes comme «As-tu une liaison?»** (Votre partenaire peut simplement vous répondre «non» sans autre discussion.) Dites plutôt **«Je sais que tu as une liaison»** ou **«Je sais que tu songes à en avoir une avec telle ou telle personne».** Parlez d'une manière affirmative.

Dans l'adultère, ne jouez pas aux conspirateurs. Nous avons plus de chances de faire cesser une liaison — ou notre tentation d'en avoir une — si nous en parlons immédiatement et avec franchise, même si elle a déjà débuté. Dans nombre de liaisons affectives, les indices sont évidents car le partenaire adultère souhaite *vraiment* être arrêté.

COMMENT MAINTENIR CES LIMITES

Oscar Wilde a un jour reconnu que la seule manière de se débarrasser de la tentation était de lui céder mais, n'oubliez pas qu'il a fini en prison.

Après avoir établi vos limites, vous disposez de plusieurs moyens pour vérifier leur respect et d'en minimiser les écarts.

SI VOUS ÊTES LE PARTENAIRE TENTÉ PAR L'ADULTÈRE

Demandez-vous ce qu'il y a chez une autre personne que vous ne pouvez pas obtenir de votre partenaire. Demandez ensuite à votre partenaire s'il veut ou peut satisfaire vos besoins.

En cas d'attrait purement physique, essayez d'imaginer cette personne avec 10 ans ou 9 kg de plus.

Faites la liste de ses habitudes négatives comme sa manie de se ronger les ongles ou son tabagisme. (Cela permet d'éviter la phase de la lune de miel et de vous amener directement à celle de la lutte de pouvoir!)

Consultez cette liste d'habitudes négatives trois fois par jour.

Rédigez la liste des choses que vous aimez chez votre partenaire.

Lisez cette liste des habitudes positives trois fois par jour. Dites à votre partenaire ce qu'elle contient — et encouragez ses efforts pour la faire allonger!

Souvenez-vous que les rencontres encouragent l'adultère. Si vous essayez de combattre votre attirance pour quelqu'un — ou si vous ne voulez pas qu'elle se développe —, faites les choses suivantes:

- N'allez pas dans un bar plein d'amis sans votre partenaire. Ce n'est pas pour rien que la plupart des chansons «country» sur l'adultère ont pour cadre des bars. L'alcool enlève les inhibitions.
- Ne mangez pas toujours seul avec la même personne — invitez d'autres gens à se joindre à vous.
- Ne soyez pas les derniers à quitter une soirée ou un dîner d'affaires avec cette personne et ne lui offrez pas de la raccompagner chez elle.

Parlez positivement de votre partenaire. Ne vous plaignez pas — et il est dangereux de commencer tous deux à parler de vos vies sexuelles exécrables à la maison.

Si c'est permis, **invitez votre partenaire** à des réunions sociales ou d'affaires comme des conventions, des soirées de Noël ou des sorties. Si ça ne l'est pas, dites-lui de venir vous chercher au bureau et présentez-le à vos collègues.

SI VOUS ÊTES LE PARTENAIRE TROMPÉ

Ne partagez votre partenaire avec personne. C'est bien de donner un coup de main à un ami dans le besoin... mais puisque quatre mains valent mieux que deux, pourquoi ne pas l'accompagner?

Ne boudez pas à la maison. Si les soirées de divertissement ou les cocktails font partie des obligations professionnelles de votre partenaire, intégrez-les aussi à votre vie.

Intéressez-vous aux affaires de votre partenaire et à ses autres centres d'intérêt.

Demandez-lui quelles sont les nouvelles techniques sexuelles qu'il aimerait essayer... et faites-lui connaître vos désirs secrets.

Planifiez de fréquentes sorties avec votre partenaire, sans les enfants. Essayez les activités qu'aiment les autres personnes.

Lorsque vous êtes séparés, **communiquez** de manière significative. Ne vous limitez pas à des appels téléphoniques superficiels. Parlez pendant au moins 10 minutes chaque jour.

Si votre partenaire doit passer beaucoup de temps sur la route, mettez **une cassette enregistrée** avec votre voix de ses livres ou de ses poèmes préférés dans ses bagages.

Assurez-vous que votre partenaire possède une photographie récente et flatteuse de vous-même pour son bureau... ainsi que quelques instantanés amusants.

Si vous entendez un peu trop parler de quelque collègue de votre partenaire, **invitez** cette personne à un souper ou à une soirée pour pouvoir évaluer la concurrence qu'elle peut représenter.

Lorsque vous rencontrez un rival potentiel, établissez votre priorité. Soyez affectueux — passez votre bras autour des épaules de votre partenaire. Faites quelques plaisanteries personnelles ou parlez de certains bons moments que vous avez eus ensemble.

Chapitre 8

Sexualité «situationnelle»

L'adultère est-il parfois acceptable? L'est-il dans certaines circonstances?

Jean-Pierre et Claudie pensaient certainement que oui. Pendant les deux ans qu'ils avaient vécu ensemble au début des années 1980, ils avaient été membres d'un club d'échangistes (adeptes de l'échange de partenaires sexuels). «J'avais toujours été curieuse et je n'y voyais rien de mal, disait Claudie, une graphiste de 26 ans. Je pensais que c'était une manière de conserver l'excitation dans notre couple. Je ne voulais pas d'un partenaire qui aurait pu se lasser de moi et me tromper.»

Puis elle a épousé Jean-Pierre, un comptable, s'est préoccupée du sida et a songé à élever des enfants. Il était furieux qu'elle veuille mettre fin à leurs anciennes habitudes. «Elle était d'accord pour apporter de la variété à notre couple et, aujourd'hui, elle a changé d'avis», fulminait-il.

Ils ont fini par divorcer et Claudie essaie toujours de dominer sa peine et son manque de confiance par une thérapie. Elle comprend maintenant que son partenaire actualisait ses désirs contradictoires d'intimité et d'éloignement. Elle sait qu'elle ne retrouvera pas dans les bras d'autres hommes la chaleur de ceux de son père lorsqu'elle était enfant. Elle cherche aujourd'hui une relation de couple saine et engagée.

Je ne me souviens pas d'un SEUL cas durant mes années de pratique professionnelle où personne n'a été blessé par l'adultère, que ce soit le partenaire trompé, le partenaire infidèle ou leurs enfants. C'est la raison pour laquelle je crois fermement en la fidélité.

L'adultère n'est jamais correct.

Je ne souhaite pas porter de jugements moraux — nous sommes tous trop imparfaits pour cela. Mais je sais ce qu'il ne faut *pas* faire pour blesser quelqu'un que vous aimez ou pour transmettre la blessure à vos enfants innocents.

Lorsque vous utilisez quelqu'un pour créer une distance entre vous et votre partenaire — que ce soit par l'échangisme ou une liaison de nature sexuelle ou affective —, vous évitez soigneusement d'aborder quelque chose dans votre relation de couple ou en vous-même.

Dangers de l'adultère

De nos jours, il existe une autre raison importante d'éviter les relations extraconjugales. Vous pouvez affecter quelqu'un de manière permanente. Des maladies sexuellement transmissibles (MST) comme la chlamydia ou l'herpès génital peuvent être responsables de troubles de la fécondité ou de douleurs physiques et morales.

Barbara Bevando Sobal, une avocate new-yorkaise spécialisée dans les affaires matrimoniales, remarque que 1 adulte sexuellement actif sur 5 souffre ou a souffert d'une MST. «Le partenaire prend alors le risque d'avoir un rapport sexuel avec cette personne mais aussi avec tous ses anciens partenaires, dit-elle. Cela explique que l'infection génitale soit une cause de divorce dans les états américains, où la transmission d'une MST est considérée comme un crime», ajoute-t-elle.

Lorsque la maladie transmise est le sida, elle est mortelle. Actuellement, le taux de transmission hétérosexuelle du sida grimpe en flèche: aux États-Unis, le nombre de femmes infectées au cours de rapports hétérosexuels a atteint 43 p. 100 entre 1990 et 1991.

«Le sida devient de plus en plus une maladie de femmes, d'hétérosexuels, de jeunes et de familles, prévient le général Antonio Novello, ancien ministre américain de la Santé. J'ai vu plusieurs cas de sida parmi mes patients et, maintenant qu'environ 1 million d'Américains sont infectés par le virus, je suis certain d'en voir plus.»

Je ne pourrai jamais oublier le cas de Véronique et de Marc dont j'ai parlé au chapitre premier. Ils allaient se marier lorsqu'ils ont découvert que Marc avait transmis le virus à Véronique. Marc n'a aucun symptôme, Véronique est mourante. Ils vivent ensemble comme soignant et soignée, enfermés dans cette situation par la colère et la culpabilité.

Toutes les fois que je passe à la télévision ou que je fais une conférence, on me pose toujours des questions précises sur l'adultère: faut-il le permettre — et même, est-il bénéfique? Est-ce qu'une rencontre d'une seule nuit est une bonne chose si vous n'aimez pas votre partenaire? Est-ce une bonne chose si vous l'aimez et que vous ne le faites que pour obtenir une satisfaction sexuelle? Et si vous ne lui dites pas que vous l'aimez? Et si vous le lui avouez?

Ma réponse est toujours la même. Je ne crois pas en la sexualité «situationnelle» parce que le temps joue contre une liaison extraconjugale. La douleur affective et les problèmes d'intimité qu'elle dénote ne disparaissent pas. Ils finiront même par réapparaître... parfois dans une autre génération.

Je sais — parce que mes clients me l'ont avoué— que certains thérapeutes disent à leurs patients que des liaisons illicites restent purement récréatives et aident les couples à se stabiliser. Ce n'est toutefois pas ma manière de penser, et ce n'était pas non plus celle d'Yvette.

Cette jeune femme déprimée a passé treize ans avec un thérapeute qui persistait à l'assurer que les aventures sexuelles de son mari Jean-Paul étaient parfaitement admissibles. Faites votre propre vie, lui conseillait-il. Ce n'est qu'un homme et, s'il vous ennuie, faites chambre à part.

Elle a fini par découvrir que son thérapeute était lui-même un séducteur qui avait des liaisons dans un appartement de luxe alors que son épouse vivait calmement à un autre étage du même immeuble.

Elle et Jean-Paul sont venus me consulter. J'ai été consternée par le conseil cynique qui leur avait été donné. Il a fallu six ans pour en annuler les effets néfastes, mais ils ont fini par recommencer à faire l'amour exclusivement l'un avec l'autre.

Comme beaucoup de partenaires trompés, Yvette souffrait d'une diminution de l'estime de soi. Élevée dans le respect de ce qu'on lui disait de faire, elle a essayé de suivre les conseils de son thérapeute et elle se demandait ce qui n'allait pas chez elle lorsqu'elle ne comprenait pas la conduite adultère de Jean-Paul. Elle acceptait l'idée que d'adultère était permis parce qu'elle ne s'estimait pas assez pour exiger la fidélité.

Elle avait besoin de prendre parti pour elle-même, de maîtriser sa peur d'être abandonnée et de dire non!

Il suffit de demander plus obtenir plus, comme l'ont fait ma mère et un grand nombre de mes clients.

Circonstances spéciales

Examinons attentivement quelques circonstances dans lesquelles on accepte l'adultère.

CONSENTEMENT MUTUEL

Des années après la publication du livre *Le mariage open*, un best-seller écrit en 1972 par Nena et George O'Neill, certaines personnes soutiennent encore leurs arguments par le fait que la fidélité sexuelle est le «faux dieu du mariage fermé».

Théoriquement, si les deux partenaires souhaitent pratiquer l'échangisme ou la liberté sexuelle totale, comment pourrais-je y trouver à redire?

Mais en pratique, c'est rarement un vrai choix pour les deux partenaires. **Selon mon expérience, l'un d'eux reconnaît dans la plupart des cas qu'il a peur de perdre l'autre. Le partenaire réfractaire est contraint de participer et humilié ou taquiné s'il ne le fait pas** lorsque l'autre lui dit «Qu'y a-t-il de mal à ça? Il ne faut pas se montrer possessif! Tout le monde le fait.»

C'est arrivé à deux couples — Jean et Marie, René et Anne — qui ont essayé d'échanger leurs partenaires pour s'amuser alors qu'ils logeaient tous dans la même chambre d'hôtel pendant leurs vacances.

Ils avaient tous aimé l'expérience, ou affirmé l'avoir fait, et ont recommencé à faire de l'échangisme régulièrement.

Mais Jean est venu me consulter parce qu'il voulait cesser. Marie ne voulait pas vraiment. Elle était tombée amoureuse de René et souhaitait un échange permanent. Les divorces qui ont suivi ont permis à Jean et à Anne de refaire, avec amertume, leur vie. Ils ne forment pas un nouveau couple et l'amitié de vingt ans entre Jean et René est maintenant détruite. René et Marie se sont mariés — mais on peut se demander combien de temps leur union durera.

En théorie et dans d'autres sociétés que la nôtre, le partage d'un partenaire peut sembler logique, mais, en réalité, il s'agit d'un acte destructeur. **Je n'en ai jamais vu qui puisse fonctionner. Dans tous les cas que je connais, la relation de couple s'est brisée.** Un mariage ouvert est habituellement le signe que l'un des deux partenaires a peur de s'engager. Tôt ou tard, l'un ou l'autre voudra se retirer de la ronde comme Jean et Marie l'ont fait.

Dans le cas de la jalousie, je crois qu'il est bon et sain qu'il en existe un peu. L'amour dans la vie réelle ne vient que d'une relation engagée. Ce n'est que par la monogamie que vous pouvez terminer votre enfance, survivre à la lutte de pouvoir et trouver le vrai bonheur, l'évolution et la guérison.

Même dans les rares cas où le choix est véritablement mutuel, la relation de couple est dysfonctionnelle.

Paul et Catherine formaient un couple splendide, elle était l'assistante d'un producteur de télévision et lui un représentant en publicité. Tous deux étaient aussi des enfants devenus adultes de parents adultères. Paul incitait Catherine à aller danser avec d'autres hommes, à coucher avec eux et à rentrer à la maison pour faire l'amour avec lui (bien qu'il n'ait jamais été échangiste).

Par une étrange logique, ils sentaient que cela leur donnait le contrôle sur leur héritage d'adultère. «J'aime l'idée qu'elle me revienne après que d'autres hommes aient fait l'amour avec elle, disait-il. Ça m'excite.» (Extrêmement «homophobe», il n'avait jamais pensé qu'il exprimait ainsi sa propre homosexualité latente.)

Selon ce qu'ils prétendaient, cette situation les rendait tous les deux heureux. Puis ils ont décidé d'adopter un enfant. Ils sont venus me consulter pour définir ce qu'ils devraient lui dire et quel en serait l'effet sur leur comportement.

Après plusieurs séances, ils ont renoncé à l'adoption. Je pense qu'il s'agissait d'une sage décision, car les enfants expriment ce que leurs parents censurent. Dans une situation aussi instable, les enfants risquent de grandir dans la confusion au sujet de leur sexualité, de leur identité et de l'intimité — surtout les enfants adoptés qui doivent déjà affronter des interrogations sur les raisons de leur abandon et leur appartenance.

Lorsque les partenaires ont besoin d'une troisième — ou d'une quatrième ou d'une cinquième — fois pour que leur relation de couple continue, c'est qu'ils ont peur d'affronter l'intimité avec l'autre.

Pour toutes ces raisons, **le mariage ouvert est une question personnelle**.

INVALIDITÉ

L'adultère est-il justifié lorsque l'un des partenaires est malade ou invalide?

Il s'agit d'un sujet traité par de nombreux films pour la télévision, mais les experts pensent qu'il est assez factice.

À titre de directrice des services infirmiers du M. D. Anderson Cancer Center à Houston, Dorothy Mills voit souvent des patients gravement malades.

Elle estime que **70 p. 100 de tous les problèmes sexuels entraînés par la maladie peuvent être résolus par une communication ouverte et une intimité affectueuse**. «Le cancer ne détruit pas la sexualité, remarque-t-elle. La sexualité fait partie de la personnalité du malade.»

Il y a plus que de la sexualité dans un rapport sexuel. Si l'amour, l'engagement et l'attention sont présents — ainsi qu'un peu d'imagination —, il est possible de trouver les moyens physiques de faire l'amour.

Toutefois, si l'un des partenaires est très frustré, il doit parler de ses désirs et de ses besoins avec l'autre — à condition que ce dernier puisse supporter la conversation. Lorsque, après une franche communication, les deux partenaires décident que le bien-portant doit chercher de la satisfaction ailleurs, cela ne dépend que d'eux-mêmes. Toutefois, soyez prêt à renégocier si la situation évolue. Conservez un moyen de communiquer et souvenez-vous que **le problème existe dès qu'un seul partenaire pense qu'il existe**.

Souvent, le partenaire bien-portant a une peur injustifiée de blesser le partenaire invalide, surtout si ce dernier a déjà fait une crise cardiaque. Dans ce cas, les deux partenaires doivent demander au cardiologue de leur dire avec franchise à quel moment et à quelle fréquence reprendre leurs rapports sexuels, et ensuite en parler ensemble.

Lorsque Gérard a fait un infarctus à 45 ans, sa femme Lorraine ne pouvait pas maîtriser sa crainte de le voir mourir. Alors que le couple était affectivement très lié, elle ne pouvait pas se décider à faire l'amour avec lui de peur qu'il en fasse un autre. Comme il avait des soucis comparables, il était heureux de se contenter de relations platoniques.

Mais Lorraine a eu une liaison. Gérard l'a découvert et, au cours de la thérapie, ils ont tous deux réalisé que leur vie sexuelle leur manquait, mais qu'ils craignaient d'aborder ce sujet.

La peur de mourir est quelquefois aussi un motif d'infidélité chez les patients. L'oncologiste de Pierre, par exemple, l'a prévenu que son cancer était en phase terminale. Il est sorti de l'hôpital et a eu trois liaisons adultères successives, essayant de vivre au maximum pendant le temps qui lui restait. Il a reconnu cette peur et ses désirs et en a parlé avec sa femme.

IMPUISSANCE

L'impuissance affecte environ 10 millions d'hommes aux États-Unis. Elle sert souvent de justification à l'adultère, mais c'est une excuse qui est de moins en moins défendable. La médecine a découvert que l'impuissance avait des causes physiques traitables. Le diabète est coupable dans 2,5 millions de cas. Plusieurs médicaments sous ordonnance courants comme ceux de l'hypertension, du diabète et des allergies, par exemple, peuvent la produire comme effet secondaire; il est alors toujours possible d'utiliser d'autres médicaments.

Dans le cas de deux de mes clients, la solution a simplement consisté à diminuer le dosage de leur traitement antiallergique.

Il existe des traitements chimiques efficaces et divers types de prothèses péniennes pour améliorer les performances sexuelles.

Dans les cas de causes psychologiques, la thérapie peut aussi s'avérer très efficace. Si l'impuissance est due à l'angoisse, une redécouverte du toucher, des caresses et d'autres formes de plaisir physique peut régler le problème et assurer une meilleure vie sexuelle.

Avoir une liaison peut libérer votre frustration sexuelle, mais ne réglera certainement pas les problèmes de votre partenaire. Outre toutes ces possibilités, ceux qui s'aiment peuvent certainement trouver encore d'autres remèdes.

FAUT-IL PARLER?

Lorsque les partenaires d'un couple parviennent à une véritable intimité sans crainte et en se sentant en sécurité, je crois qu'ils ne souhaitent pas d'autres relations à l'extérieur. Ils n'ont en effet pas de place ni d'énergie pour une seconde relation aussi intense!

Il est difficile ou même impossible d'être à deux endroits à la fois.

Mais supposons que vous ayez *déjà* commis ce fameux «péché impardonnable».

Devez-vous garder ce secret pour vous?

Dans la plupart des cas, non.

Vous avez besoin d'évaluer votre relation de couple. Il existe certaines circonstances dans lesquelles le dévoilement de l'adultère pourrait la détruire. Vous pouvez différer la nouvelle lorsque votre partenaire souffre déjà profondément — de la mort d'un parent ou d'un enfant, par exemple — et que vous croyez qu'il ne pourra pas la supporter à ce moment-là.

Examinez votre motivation. Gardez le silence si parler devait uniquement servir à vous sentir mieux; c'est une nouvelle dont votre partenaire se souviendra jusqu'à la fin de ses jours.

Vous devez aussi être très prudent sur la manière de le dire. Certains semblent désireux d'étaler les détails, mais cette attitude risque d'augmenter les dégâts.

Enlever la honte et la culpabilité

Dans la seconde moitié de ce livre, je vous montrerai comment transformer la confession et l'angoisse en une amnistie durable et tendre.

Toutefois, avant de pouvoir y parvenir, vous devez vous débarrasser de votre culpabilité et de votre honte. La plupart des partenaires adultères que j'ai rencontrés ont tôt ou tard le cœur lourd. Pour l'alléger, ils ont besoin de partager ce sentiment avec la personne qu'ils aiment le plus.

S'ils ne parlent pas, ils ne peuvent pas prendre leurs responsabilités ni se pardonner.

Le secret favorise la poursuite de la relation adultère et **c'est la culpabilité qui en résulte — et non pas le manque d'amour — qui détruit de nombreux couples.**

Dans la plupart des cas, le partenaire sait déjà — ou il a décidé de nier ou d'être complice. Nous avons aussi vu que les enfants étaient pratiquement toujours au courant.

Je n'insiste toutefois pas autant que certains thérapeutes sur l'honnêteté absolue. Je crois que le silence est justifiable dans certains cas, lorsque le comportement est passager ou très ancien, et que le partenaire adultère essaie d'en traiter les causes profondes.

Tous ceux qui ont eu une liaison et ne sont pas sûrs de ce qu'ils doivent faire n'ont certainement pas besoin de voir un thérapeute. De nombreux partenaires adultères me consultent spontanément, par exemple, dans un désir de mettre un terme à leur relation adultère, mais en ne sachant pas très bien quand et comment le faire.

COMMENT CONFESSER UN ADULTÈRE

Dans les deux tiers des cas où la trahison est connue, le partenaire adultère se confesse à l'autre; pour le reste, des personnes étrangères au couple ou des indices permettent au partenaire trompé de découvrir son infortune.

Lorsque cela se produit, la découverte est toujours «explosive». Il existe toutefois des moyens de minimiser les dégâts:

POUR LE PARTENAIRE ADULTÈRE

1. Lorsque vous vous confessez, assurez-vous d'être motivé par le désir réel d'améliorer votre relation de couple et non pas seulement de vous libérer de votre culpabilité — ou pire — de vous réjouir.
2. Ne vous confessez pas dans la colère. Calmez-vous ou reportez la conversation à plus tard; précisez que vous avez quelque chose d'important à dire.

3. Le moment de le faire est primordial. Tenez compte du niveau d'estime de soi de votre partenaire et d'éventuelles crises ou pressions. Dans ce cas, abandonnez cette idée et demandez l'aide d'un thérapeute.
4. Essayez de rassurer votre partenaire sur le fait que vous l'aimez. Parlez des bons moments que vous avez eus. Validez vos paroles. Évitez l'hostilité et les comportements accusateurs ou défensifs.
5. Employez les méthodes de communication de l'exercice La lutte (page 141) ainsi qu'à la fin des trois chapitres suivants.
6. Continuez à parler même si cela prend plusieurs heures. Ne faites PAS taire votre partenaire. À ce stade, il peut se sentir au bord de la dépression.
7. Acceptez de répondre aux questions sur votre amant ou maîtresse... mais sans être trop explicite. Si vous ne répondez pas à ces questions, votre partenaire s'appesantira sur elles, imaginera le pire et en deviendra obsédé.

   Ne défendez toutefois pas votre amant ou votre maîtresse. Soyez prêt à entendre des attaques à son sujet, mais ne vous mettez pas en colère.
8. Attendez-vous à de la colère, à un choc, à des larmes et à des récriminations. N'espérez pas un pardon immédiat, même si vous vous excusez.
9. De nombreux partenaires adultères ont de la difficulté à parler de leurs sentiments — c'est la raison pour laquelle ils ont eu au départ une liaison. *Ne vous enfermez pas dans le silence.*
10. Soyez sincère sur ce que vous ferez pour mettre fin à votre liaison. Vous devez l'interrompre pour rétablir votre crédibilité et rétablir votre relation.

POUR LE PARTENAIRE TROMPÉ

Comment demander:

1. Confrontez votre partenaire avec vos doutes même si vous avez peur de ses réponses ou de son départ. Sinon, vous lui donnez la permission tacite de continuer. Dites avec assurance «Je pense que tu me trompes». Ne posez pas de questions vagues.

2. Parlez avec affirmation mais ne portez pas de jugement.
3. Soyez direct. Ne tournez pas autour du pot.
4. Ne donnez pas de messages doubles comme «Si tu es infidèle, je ne veux pas le savoir» ou «Si jamais je te surprends, je te quitte».
5. Faites face au partenaire adultère et regardez-le dans les yeux. N'acceptez pas de diversions comme la télévision. Ne buvez pas d'alcool, avant, pendant ni après.
6. Si votre partenaire parle d'autre chose, ramenez-le au sujet principal et concentrez-vous.
7. Votre partenaire peut dire que vous déraisonnez, il peut vous critiquer, se fâcher ou vous accuser d'avoir aussi une liaison. Ne laissez pas cette réaction vous perturber et revenez le plus vite possible à votre sujet. Prouvez ce que vous affirmez, restez impénétrable et n'attaquez pas en retour.
8. Rendez-vous compte que votre partenaire est en train de passer un mauvais moment et qu'il est agité par la culpabilité, la colère, la tristesse et la honte. Il peut aussi avoir très mal. Essayez de comprendre.
   Plus vous parviendrez à diminuer la culpabilité qui tourmente votre partenaire, et moins vous aurez de risques de le voir se figer.
9. Ne dites jamais «Tout est de ma faute». *Ne faites jamais d'excuses.*
10. Évaluez les conséquences de la poursuite de la liaison. Demandez qu'elle cesse.

POUR LES DEUX PARTENAIRES

Lorsque la relation adultère est dévoilée, vous pouvez avoir besoin d'une thérapie ou d'une thérapie familiale pour vous aider à comprendre ses causes afin qu'elle ne se reproduise pas. **Si vous êtes séparés, ne revenez pas en arrière sans demander d'abord de l'aide ni sans prendre position sur la liaison.**

Relisez la partie intitulée «Pour le partenaire adultère» du chapitre suivant pour les «trucs» permettant de canaliser la colère naissante.

LE COMMENCEMENT DU PARDON

Maintenant que nous comprenons mieux le «péché», commençons à chercher les moyens de le pardonner.

Le processus du pardon est extrêmement exigeant. **Si vous êtes le partenaire trompé,** vous devez comprendre combien il est difficile pour votre partenaire de cesser cette relation libre, satisfaisante et excitante. Souvenez-vous qu'elle a souvent ses racines dans la douleur de l'enfance. Vous ne souhaitez pas en entendre parler, mais vous le devez. D'un autre côté, vous ne devez pas cesser la relation sans véritables signes d'engagement au changement.

Si vous êtes le partenaire adultère, vous devez vous apercevoir des dégâts que vous avez occasionnés et souhaiter combattre les blessures affectives qui vous y ont poussé. Vous devez aussi déployer tous les efforts nécessaires sans l'aide ni le soutien de votre amant ou de votre maîtresse.

Aussi, avant de commencer, posez-vous les questions suivantes.

JEU-QUESTIONNAIRE: ÊTES-VOUS PRÊT À PARDONNER?

Les chapitres suivants vous montreront comment décharger votre colère, admettre votre chagrin et trouver l'amour dans la vie réelle. Mais, tout d'abord, vous pouvez souhaiter vous demander si vous pensez que le but vaut la peine que vous vous battiez.

POUR LES DEUX PARTENAIRES

1. Est-ce que ma relation de couple vaut la peine d'être sauvée?
2. Ai-je envie d'établir et de respecter des règles de fidélité?
3. Suis-je prêt à demander à mes parents si mon comportement relève d'une prédisposition familiale? Suis-je prêt à leur parler de mon vide intérieur?
4. Suis-je prêt à travailler avec mon partenaire pour régler mes angoisses d'enfant?
5. Est-ce que je ressens toujours un attrait sexuel pour mon partenaire? Et surtout, est-ce que je l'aime toujours? Est-ce qu'il m'aime toujours?

6. Est-ce que je pardonne facilement et est-ce que ma famille m'a élevé dans l'esprit du pardon?

Pour le partenaire trompé

1. Ai-je contribué d'une manière quelconque à créer une distance entre nous deux et ai-je envie de modifier mon comportement?
2. Est-ce que je ressens autre chose que de la colère ou de la haine pour mon partenaire? Si je savais comment faire, pourrais-je abandonner mes rancœurs et oublier mon obsession de l'amant ou de la maîtresse de mon partenaire?
3. Ai-je donné à mon partenaire un ultimatum ou une date limite pour terminer sa liaison?
4. Ai-je à nouveau envie de faire confiance et d'être vulnérable, même si cela risque de me blesser?

Pour le partenaire adultère

1. Ai-je envie d'interrompre ma relation adultère?
2. Ai-je envie de fouiller dans ma douleur et mon vide intérieur pour connaître les véritables raisons de mes agissements, y compris une rencontre avec mes parents?
3. Ai-je envie d'entendre des critiques? Même si elles sont pénibles et douloureuses?
4. Ai-je envie de consacrer du temps et des efforts à me changer et à m'impliquer dans cette relation?

Attribuez-vous 2 points pour chaque réponse qui est «oui». Vous êtes sur la voie du pardon si votre total est égal ou supérieur à 8.

Chapitre 9

Allez-y, mettez-vous en colère

Ainsi, maintenant que vous connaissez la terrible vérité, qu'allez-vous faire?

Suzanne souffre en silence

Si, comme Suzanne, vous êtes capable de souffrir longtemps — et un grand nombre de femmes le sont —, vous tentez d'ignorer votre angoisse dans l'espoir qu'elle s'évanouira.

Le jour où elle a découvert l'infidélité de Marc-André, son mari, elle est allée jusqu'à lui préparer son plat favori pour le souper. Une amie de sa mère avait lancé la rumeur que Marc-André avait une liaison avec la propriétaire d'une boutique. Suzanne avait été blessée, humiliée et fâchée, mais elle n'avait pas dit un mot. «Je ne voulais pas me comporter comme une garce», a-t-elle expliqué plus tard de sa voix douce.

Marc-André savait toutefois qu'elle connaissait sa liaison — sa mère l'en avait informé. Paralysé par la culpabilité, il a longtemps attendu une attaque qui n'est jamais venue. «Elle me rend complètement fou avec son attitude», avait-il soupiré.

En réalité, Suzanne se rendait folle *elle-même.* Elle m'a été envoyée par son médecin de famille parce qu'elle se sentait dépressive et suicidaire.

La colère est une émotion corrosive. Si vous l'enfermez au fond de vous, elle rongera votre respect de vous-même — et finira, de toute façon, par se libérer un jour ou l'autre d'une manière destructrice.

Mais Suzanne et Marc-André, deux enfants devenus adultes de parents adultères, étaient trop terrifiés pour admettre ce qu'ils ressentaient. Ce n'est qu'après des mois de thérapie qu'ils ont commencé à reconnaître leur vide et leur amertume.

Les parents de Marc-André avaient conservé une relation de couple courtoise et sans dispute, mais froide. Ils allaient aujourd'hui divorcer après trente années de mariage et Marc-André était outré de l'infidélité de son père.

Suzanne avait toujours essayé d'améliorer sa faible estime de soi en étant la plus agréable possible. Elle essayait de cacher, même à elle-même, le fait qu'elle était maintenant aussi furieuse de l'infidélité de son mari qu'elle l'avait été de celle de son père.

Grâce aux exercices de la fin de ce chapitre, le couple a finalement laissé se déchaîner sa rage. Suzanne a crié — c'était la première fois qu'elle élevait la voix devant son mari — «Je ne peux pas te faire confiance, tu es exactement comme mon père!». «Ma maîtresse me dit toujours ce qu'elle ressent, a-t-il répondu sur le même ton. Elle ne me trahit pas avec ses mensonges de politesse!»

Ils avaient ainsi fait des progrès dans le bon sens. Marc-André désirait des limites et il en avait besoin. Celles-ci lui ont permis de réaliser combien sa femme prenait soin de lui. Nous avons aussi travaillé ensemble, ainsi qu'avec leurs parents. Ce couple souhaitait faire le travail nécessaire pour exorciser ses démons de l'enfance et faire fonctionner à nouveau sa relation. Ils se sont tous alliés et sont passés à l'étape suivante — le deuil et le pardon —, qui fait l'objet des deux chapitres suivants.

PEUR DE LA COLÈRE

C'est tout à fait normal d'être outré par l'adultère. Après l'inceste, c'est le tabou sexuel le plus strict de notre société et celui qui attaque le fondement de notre confiance.

Mais la société nous apprend aussi à minimiser les conflits et la plupart d'entre nous redoutent souvent leur propre hostilité. L'un des sentiments suivants vous est-il familier?

- Vous avez peur d'être abandonné et vous pensez que vous devez maintenir la paix à tout prix.
- On vous a appris à être désolé pour un pécheur.
- Vous sentez que vos réactions sont très violentes... mais peut-être que tout le monde est ainsi.
- Les hommes, les femmes et les enfants bien élevés ne se mettent jamais en colère.
- Si vous n'en parlez pas, cela va passer.
- Si vous perdez votre contrôle, l'étape suivante risque d'être la mutilation ou le meurtre.

En ravalant sa colère, Suzanne suivait un modèle de comportement typiquement féminin. J'ai pu observer que, dans ces circonstances, les femmes ont plus de risques que les hommes de souffrir d'une diminution de leur estime de soi. «Bien entendu, il m'a quittée pour une belle jeune fille», peut se justifier la femme d'âge mûr.

Mais le pire, c'est que les femmes reçoivent souvent des conseils répressifs d'amies ou de ministres du culte partisans de tendre l'autre joue lorsqu'on reçoit un coup. «Ne vous inquiétez pas, cela ne veut rien dire. Pensez à vos enfants», vous suggèrent-ils.

Faux. Même si vous croyez que la plupart des hommes sont infidèles, l'adultère est inacceptable. *Il n'y a pas de place pour une troisième personne entre les membres d'un couple qui veulent être proches. Souvenez-vous* **qu'un triangle peut devenir un fossé.**

Selon mon expérience, les hommes ont, d'un autre côté, moins de difficultés à libérer leur colère. *Un homme qui découvre que sa femme le trompe a tendance à prendre des mesures immédiates.* Il peut décrocher le téléphone et dire à l'amant de s'éloigner ou l'affronter directement, et parfois violemment.

Les affrontements sont parfois dramatiques.

René et Marie-Thérèse avaient tous deux la clé de l'appartement de Nathalie, au centre-ville, car ils l'utilisaient lorsqu'ils voulaient prendre une douche et se changer pour sortir le soir sans avoir à retourner dans leur maison de banlieue.

Puis René a su que Marie-Thérèse utilisait cet appartement pour un autre usage — et avec Nathalie. Apprenant par une écoute indiscrète sur un autre poste téléphonique la date du prochain rendez-vous amoureux du couple, René a organisé une mémorable surprise. Il a non seulement mis le lit en portefeuille, mais il a aussi calé un seau de goudron au-dessus de la porte d'entrée. Marie-Thérèse est rentrée à la maison avec du goudron encore collé dans les cheveux — ce qui lui enlevait toute possibilité de nier son adultère.

Il arrive souvent que les hommes perdent leur contrôle...

Jean-Marc, un avocat dont la femme Céline était vice-présidente d'une importante compagnie d'assurances, est rentré chez lui à l'improviste d'un voyage d'affaires et il a trouvé sa femme confortablement installée dans leur lit avec son patron, Paul, en train de regarder des films pornographiques. Ils se sont tous mis à crier. Comme il avait de la difficulté à s'excuser ou à excuser Céline, Paul est passé à l'attaque: «Si vous vous étiez un peu plus occupé d'elle, nous ne nous serions jamais rencontrés ici», persifla-t-il.

Cette remarque a tellement insulté Jean-Marc qu'il a donné un coup de poing à Paul — et l'amant de Céline qui mesurait 10 cm et pesait 13 kg de moins que le mari s'est trouvé assommé avec le nez en sang.

Mais Jean-Marc n'en avait pas terminé avec sa revanche. Il a d'abord appelé la femme de Paul, pour la mettre au courant et lui suggérer de le dire à ses enfants. Puis il a appelé ses propres enfants âgés de quatre et sept ans pour leur expliquer que leur mère se comportait comme une «prostituée». Ces paroles ont effrayé le plus jeune, même s'il n'en a pas saisi le sens. «Papa, est-ce qu'on va avoir une nouvelle maman à cause de ce que maman a fait», a demandé Jean-Marc fils, d'une voix tremblante.

Malgré ces circonstances, il a été possible de sauver leur couple parce que les deux partenaires étaient décidés à le faire.

Il s'avéra que Céline n'acceptait pas les manières dominatrices de Jean-Marc et craignait son caractère violent. Elle n'avait cependant jamais été capable de lui faire face. Cet adultère était son ultime tentative de stabiliser son couple ou de le briser.

Après que Paul eut congédié Céline par vengeance pour ce que Jean-Marc avait fait à sa propre famille, elle s'est rendu compte que Paul n'était pas non plus l'homme qu'elle souhaitait. Alors, quand Jean-Marc a déclaré qu'il allait quitter la maison, elle s'est aperçue qu'elle l'aimait encore.

Elle n'a toutefois pas immédiatement réalisé qu'elle rejouait un vieux scénario. Ce n'est qu'au cours d'une thérapie familiale réunissant plusieurs générations qu'elle a compris que sa mère Rose — tout aussi manipulatrice que Jean-Marc —, avait été une épouse adultère. Céline, finit-elle par confier, était la fille illégitime de sa liaison avec un homme marié. Sa manière stricte d'éduquer sa fille était partiellement due à sa honte. (L'héritage familial avait touché les trois enfants de Rose: Céline et son frère étaient adultères, alors que leur sœur avait épousé un homme infidèle.)

Jean-Marc a fini par affronter son ressentiment envers sa mère dominatrice et sa colère envers Céline — et leur problème commun avec l'alcool. Il est intéressant de remarquer que Jean-Marc et Céline ainsi que Paul et Michèle — qui venaient aussi me consulter séparément — ont pu canaliser efficacement leur colère et permettre à leur couple de survivre.

Voici les cinq étapes qui vous aideront à faire de même avec vos propres sentiments, suivies des exercices qui vous permettront d'en finir avec ce stade et de passer au suivant.

Admettez que vous êtes en colère. Allez-y! Autorisez-vous à être outré. Ne vous sentez pas coupable et ne vous excusez pas. Vous avez le droit de vous sentir ainsi. L'adultère est une grande insulte à vous-même et à votre couple. Il a permis d'acquitter plus d'un meurtrier en constituant une cause justifiée.

Et si vous n'êtes pas d'accord avec ces sentiments, vous leur permettrez de toujours exister en vous. La blessure est sous la colère et l'amour sous la blessure, mais vous ne pourrez pas en arriver là si vous ne suivez pas d'abord ce chemin.

Niez vos pulsions négatives. Ne vous vengez pas en devenant vous-même adultère ou en essayant d'atténuer votre douleur avec un excès d'alcool, de nourriture ou de fatigue. Vivez un jour à la fois.

Libérez vos sentiments de manière inoffensive.

- **Marchez jusqu'à un endroit où vous pourrez crier ou criez dans un oreiller après vous être enfermé dans une pièce.**
- **Tapez dans un *punching-ball* ou un oreiller.**
- **Faites une marche rapide, courez ou nagez de toutes vos forces.**
- **Suivez un cours de danse aérobique, montez un escalier roulant ou un escalier normal.**
- **Téléphonez à un ami ou parent qui vous écoutera sans vous conseiller ni critiquer votre partenaire.**

Évaluez votre contribution dans votre liaison adultère. Avez-vous fixé des limites et les avez-vous respectées? Avez-vous fait connaître vos besoins? Avez vous personnellement créé un triangle — avec vos enfants ou vos collègues de travail — pour vous tenir à distance de votre partenaire? Vous ne pourrez pas changer ni passer à autre chose tant que vous ne reconnaîtrez pas ces erreurs.

Souvenez-vous de l'amour que vous avez eu l'un pour l'autre. Vous parviendrez ainsi plus facilement à survivre à la douleur et à vous réconcilier.

Voici maintenant quelques exercices efficaces qui vous permettront de reconnaître vos sentiments et d'atteindre votre prochain objectif. Ils ont été adaptés au contexte de l'adultère à partir des exercices de conflit matrimonial conçus par le docteur Harville Hendrix et Lori Gordon, fondateurs de PAIRS (Practical Applications to Intimate Relationship Skills).

Pour que ces exercices soient efficaces, les deux partenaires doivent promettre d'y consacrer du temps et de l'énergie.

PREMIER EXERCICE: EXPRIMEZ VOTRE COLÈRE

Comme nous l'avons vu, la colère est une émotion empoisonnée. Vous devez la manipuler avec précaution. Si vous la contenez, elle peut vous détruire et si vous la laissez exploser, elle peut détruire une personne qui vous est chère. Passez par les étapes suivantes pour la rendre moins virulente avant de lui laisser libre cours devant votre partenaire.

1) *Écrivez des lettres. Déposez-en une tous les jours dans ce que l'un de mes professeurs, le docteur Phillip Guerin, du Center for Family Learning, appelle une «boîte à aigreurs».*

Vous devriez en sortir une et la mettre dans un dossier «confidentiel». Ne — je répète — NE les montrez à personne ou ne les postez pas.

Lettre nº 1: Écrivez seulement «Je hais (prénom de votre partenaire)» autant de fois que vous aurez la place de l'écrire — idéalement, plus de 70 fois.

Lettre nº 2: Dites à votre partenaire l'importance de votre blessure, de votre colère et de votre tristesse à propos de ce qui s'est passé, dites-lui combien vous le haïssez et combien vous souhaitez le quitter. Demandez-lui pourquoi il vous a trahi.

Lettre n° 3: Expliquez à votre partenaire à quel point vous l'aimez et avez besoin de lui, et pourquoi vous ne pouvez pas laisser passer sa trahison. Décrivez votre peur d'être abandonné et ce que la vie serait sans lui.

Lettre n° 4: Rédigez la lettre que vous aimeriez voir écrite en réponse par votre partenaire. Mettez-y tout ce que vous aimeriez entendre — ses excuses, ses raisons, ses regrets et sa pénitence pour l'adultère, tout ce qu'il va essayer de faire pour tenter de vous le faire oublier, quelle merveilleuse personne vous êtes et combien il vous aime et vous lui manquez. Laissez-le vous supplier de ne pas partir et se mettre à plat ventre à cause de son manque de valeur. Laissez-le dire combien il est désolé de vous avoir trompé après toutes les merveilleuses choses que vous avez faites pour lui. Laissez-le préciser à quel point il souhaite votre pardon et veut se consacrer à vous et au couple que vous formez.

Lettre n° 5: Notez la part que vous avez prise dans tout cela. Adressez la lettre à votre partenaire — et cette fois-ci, faites-la-lui parvenir. Le partage équitable des responsabilités fera diminuer votre colère, votre obsession et vos envies de représailles. À ce stade, *vous* lui demandez pardon.

Lettres n°s 6 à 10: Réécrivez les mêmes lettres que précédemment mais, cette fois-ci, adressez-les à votre parent le plus distant ou à celui qui vous a le plus blessé avec une forme de trahison — si ce n'est pas son comportement adultère, alors sa froideur, ses exigences, son égoïsme, sa négligence ou son absence.

Lettres n°s 11 à 15: Réécrivez toutes les lettres précédentes, mais adressez-les maintenant à votre autre parent.

Lisez à votre partenaire ces lettres à vos parents. Aidez-le à comprendre la relation qui existe entre votre douleur d'aujourd'hui et les blessures d'hier. Cela dissipera partiellement votre colère.

Vous devez déposer vos lettres tous les jours dans un dossier ou dans la «boîte à aigreurs» pendant une période d'une semaine à trois mois, ou jusqu'à ce que votre colère s'apaise. Essayez cependant de ne pas l'envenimer, sauf pendant le temps que vous consacrez chaque jour à remplir la boîte.

L'amertume est une attitude saine, mais vous ne devez pas rester bloqué à ce stade. Vous devez progressivement dépasser votre colère pour pouvoir trouver l'amour et le pardon. Ce n'est pas facile. Tout d'abord, vous *serez* obsédé par la pensée de l'amant ou de la maîtresse de votre partenaire qui nourrira votre aigreur. Vous risquez d'avoir du mal à vous endormir et de ne pas dormir beaucoup. Vous risquez de ne pas pouvoir manger ou alors de vouloir vous empiffrer. Vous risquez de souffrir de troubles de concentration.

En travaillant sur ces sentiments, vous parviendrez toutefois à les contrôler plutôt qu'à en être obsédé.

Si vous êtes incapable de dépasser ce stade, demandez le secours d'un thérapeute qui pourra vous aider tous deux — ensemble ou séparément — ainsi que vos enfants.

Si votre «boîte à aigreurs» est un succès, passez à l'étape suivante.

2) *Démolissez le triangle*

Vous ne pouvez pas communiquer avec un partenaire adultère tant que vous ne manifestez pas un signe mutuel de partage de la responsabilité. En continuant à jouer les rôles de victime et de saint, vous ne vous comprendrez et ne vous soignerez pas. Vous finirez probablement par divorcer sans avoir résolu vos problèmes.

Dessinez un triangle et inscrivez dans les angles le nom de chacune des personnes impliquées.

Faites la même chose pour votre famille d'origine.

Définissez votre problème en quelques phrases sous les triangles. Soulignez les points communs.

EXEMPLE: Je ne peux pas accepter son excès de travail. Cela me rappelle la manière dont mon père me rejetait lorsque j'étais enfant, aussi j'ai eu une liaison.

Faites la liste de vos contributions personnelles au problème. Demandez l'opinion des personnes (famille et amis) qui vous connaissent tous deux. Comment l'amant ou la maîtresse est-il ou est-elle entré dans le triangle? Laissez-vous les autres à une certaine distance à cause de vos propres peurs de l'intimité et votre difficulté à faire confiance? Faites-vous passer certaines personnes et certaines choses en priorité?

Pour chaque contribution, **faites la liste** d'au moins une et de préférence deux ou trois manières de modifier votre comportement et de soutenir votre cause.

Après chaque possibilité, **notez** les changements de comportement que vous voulez inspirer à votre partenaire.

EXEMPLE: Si j'apprends à jouer au golf et que je lui tienne compagnie, passera-t-il autant de temps sans moi au club?

Nous devons partager plus de choses et il cessera d'être adultère. **Évaluez** ensuite le coût ou le bénéfice de ces changements pour vous (et pour lui). Expliquez-lui qu'en apprenant à jouer au golf et en le suivant, vous risquez d'avoir beaucoup moins de temps libre pour vous-même, mais plus de plaisir et d'intimité ensemble. Cette transaction en vaut peut-être la peine.

Réfléchissez pour savoir si vous êtes ou non un fuyard. Si oui, vous devriez comprendre aussi pourquoi vous avez pris de la distance.

DEUXIÈME EXERCICE: LA CONFRONTATION

Dès que vous maîtrisez plus facilement vos sentiments, vous êtes prêt à les faire connaître à votre partenaire.

Attendez-vous à de l'agitation, des larmes ou des scènes, car vous tentez de canaliser des émotions violentes.

La mise en application de ces quelques règles pourrait vous aider.

POUR LE PARTENAIRE TROMPÉ

1. N'appelez pas un avocat spécialiste du divorce!
2. Comprenez que la plupart des fuyards (le principal genre de partenaire adultère) sont allergiques à l'affectivité. Prenez des pauses fréquentes et essayez de ne pas surcharger votre partenaire.
3. Insistez pour que sa liaison prenne fin sinon aucun changement n'est possible.
4. Prenez votre part de responsabilité, mais n'endossez pas tout le blâme.
5. N'essayez pas de pardonner avant de vous être débarrassé de votre colère, de votre blessure et de votre douleur.
6. Dites la vérité — ne minimisez pas votre angoisse.
7. Réagissez — reprenez contact avec vos parents, vos frères ou sœurs et vos amis. Comme poursuivant, **vous avez des risques de vous sentir isolé et vous devez ramener votre solitude dans votre cercle de famille pour y traiter la trahison.**

8. Promettez-vous d'essayer de dépasser votre amertume.
9. Essayez de ne pas perdre votre contrôle.
10. Prenez position. Courez le risque d'être abandonné — vous l'êtes de toute façon.

POUR LE PARTENAIRE ADULTÈRE

Vous risquez de haïr cette situation affective mais, plus vous prenez de la distance, plus c'est dur pour votre partenaire. Demandez une pause lorsque vous avez besoin d'espace pour respirer.

1. Traitez avec des faits réels, et non des fantasmes. Considérez votre amant ou votre maîtresse pour ce qu'il ou elle est vraiment, sans oublier ses défauts.
2. Ne blâmez pas le partenaire trompé, car son estime de soi est déjà ébranlée. Ne lui faites pas endosser votre propre culpabilité.
3. Reconnaissez que vous ne pouvez, ne voulez et ne devez pas être pardonné immédiatement, quel que soit le temps consacré aux excuses.
4. N'étouffez, ne niez, n'ignorez ni ne rabaissez pas ses sentiments. Attendez-vous que des pointes vous soient lancées et ne réagissez pas par de la colère.
5. Soyez patient et valorisez-le.
6. Prenez la responsabilité de vos actes.
7. Rendez-vous compte que votre tâche la plus difficile est de regagner sa confiance.
8. Continuez à parler. Soyez prêt à des cris, des menaces de divorce et même à recevoir des objets. Votre partenaire peut aussi bien être provocateur que critique. Votre comportement passe une épreuve.

Vous pouvez maintenant commencer les exercices.

LE «GILET PARE-BALLES»

Étape n° 1: Les plaintes

Demandez un rendez-vous à votre partenaire pour parler avec lui. Abordez le sujet avec franchise: déchargez votre douleur et votre colère à propos de cette trahison.

Fixez une limite de temps pour que la perspective vous en soit moins désagréable: disons vingt minutes par personne. Demandez et acceptez des périodes de pause si la discussion devient trop agitée.

Fixez une date limite pour la réponse; elle doit vous parvenir dans les vingt-quatre heures. Ne l'ignorez pas.

Précisez que vous ne voulez pas vous essouffler en restant ensemble; vous essayez simplement de composer avec votre douleur.

Dites à votre partenaire de venir en portant un «gilet pare-balles» imaginaire et préparez-vous à recevoir des pointes, des insultes et des flèches et à repousser les coups bas qui vont voler.

Votre partenaire doit vous promettre de ne pas être sur la défensive, d'écouter et d'accepter vos plaintes et de résister à la tentation de s'en aller. Vous aurez chacun votre tour. Vous devez aussi promettre de ne pas utiliser par la suite ce qui est dit pendant ces séances.

Évitez les distractions. Pas de télévision, de lecture, ni de tricot, et encore moins d'alcool avant, pendant ou après la séance.

Si votre partenaire accepte le rendez-vous, il doit s'asseoir, être attentif, porter son «gilet pare-balles» et assumer la douleur, la colère et la blessure.

Essayez de considérer votre partenaire comme un enfant blessé. Lorsque c'est à votre tour, continuez jusqu'à vous enfoncer profondément dans votre enfance. Êtes-vous, comme Dominic, terrifié de rester seul parce que cela vous est arrivé un jour quand vous étiez enfant?

Le but de cet exercice est de donner de la valeur aux sentiments normaux de colère entraînés par l'adultère. Il vous faut dépasser la colère pour atteindre la blessure et le désir d'amour.

Laissez votre partenaire se libérer et écoutez. Ne discutez pas, même si vous n'êtes pas d'accord; sympathisez simplement avec sa vraie douleur.

Si le partenaire adultère refuse de participer à ces exercices en disant quelque chose comme «Je ne veux rien savoir», demandez immédiatement l'aide d'un thérapeute. Vous ne pouvez pas faire cela tout seul.

Étape nº 2: Faites écho

Le partenaire adultère prouve qu'il écoute en répétant les messages du partenaire trompé. Ce dernier vérifie alors que rien n'a été oublié et, si c'est le cas, le partenaire adultère recommence.

Nous sommes tous égocentriques; lorsque quelqu'un prend la parole, nous n'écoutons que d'une oreille. Il s'agit d'acquérir de bonnes capacités d'écoute. **L'exercice consistant à faire écho est indispensable dans la reconstruction d'une relation de couple.**

Ne soyez pas découragé si cela demande un certain temps. Le partenaire qui est supposé écouter doit répéter aussi souvent qu'il le faut avant d'avoir compris le message. Le fait qu'il soit ou non d'accord n'entre pas en jeu.

Faites écho sans intervenir. Par exemple, si le partenaire trompé dit «Je sens que tu ne m'aimes pas parce que tu as une liaison avec un tel ou une telle», répétez simplement «Tu sens que je ne t'aime pas parce que j'ai une liaison avec un tel ou une telle».

Résistez à l'envie de rétorquer «J'ai eu une liaison parce que *tu* m'ignores».

Étape nº 3: Valorisez votre partenaire

Dites que vous comprenez les véritables sentiments de votre partenaire et assurez-le qu'il a le droit de les éprouver. Le fait que vous le valorisiez ne signifie pas que vous êtes d'accord.

Exemple: «Je comprends à quel point tu te sens mal aimé à cause de cette liaison.»

Là encore, cela ne veut pas dire que vous devez être sur la défensive. Ne contre-attaquez pas en ajoutant «Mais si tu n'avais pas été autant pris par ton travail, je ne t'aurais pas trompé». Ce type de réaction est très égoïste et il bloque toute progression.

Les sentiments ne sont ni vrais ni faux, ni mauvais ni bons. Vous êtes simplement supposé vous mettre à la place de votre partenaire et «sentir ce qu'ils cachent». Si vous ne les validez pas, vous ne pouvez pas continuer à pratiquer la compréhension mutuelle, à échanger des confidences ni à assurer votre intimité.

Étape n° 4: Soyez compréhensif

Vous avez plus de chances d'atteindre une véritable intimité si vous parvenez à comprendre les sentiments de votre partenaire. Il est impossible de parvenir à l'intimité sans compréhension.

Exemple: «Je peux comprendre combien tu es blessé et en colère.» Vérifiez les sentiments avec votre partenaire pour voir si vous comprenez correctement. Sinon, faites écho à ses sentiments.

Dans ma pratique professionnelle, *je me rends souvent compte que ce n'est pas la liaison adultère qui entraîne les couples au divorce, mais l'incapacité ou le manque de volonté d'un partenaire à comprendre ce que vit l'autre. C'est l'incapacité à valider et à comprendre ses sentiments.*

Si vous parvenez à faire cette partie de l'exercice, même si cela vous demande un an, vous pourrez finir par pardonner à votre partenaire et solidifier votre couple.

Étape n° 5: Renversement des rôles

Inversez les rôles et refaites l'exercice ci-dessus.

Il est maintenant temps que le partenaire adultère assure sa propre défense. Vous pouvez alors contre-attaquer, justifier vos actes et porter des accusations. Vous pouvez parler de la détresse que vous ressentez à devoir cesser cette liaison. Vous pouvez critiquer les sentiments de votre partenaire et révéler toutes les blessures et le manque d'attention dont vous avez souffert et qui vous ont conduit à l'adultère.

Racontez comment vous vous sentez supplanté par le bébé… terrifié d'avoir 40 ans… blessé d'être mis à l'écart. Dites combien vous souffrez intérieurement et pourquoi vous avez choisi de combler votre vide intérieur avec une liaison. Vous pouvez déclarer que vous souhaitez vraiment revenir à l'époque romantique de votre couple.

Et, cette fois-ci, le partenaire trompé doit s'asseoir tranquillement et tout écouter. Il existe une tendance naturelle à se retirer, à dire «Attends une minute… comment oses-tu… *C'est moi* le partenaire blessé ici». Mais, en portant son «gilet pare-balles», le partenaire doit écouter la peine de l'infidèle. Souvenez-vous:

Ceux qui ne souffrent pas ne commettent pas d'adultère.

EXERCICE D'EMBRASSADE

Les exercices précédents retirent le masque couche par couche pour révéler l'enfant blessé et nu qui se trouve au-dessous. Ils peuvent être effectués avec le partenaire ou, comme nous le verrons plus tard, avec les parents.

Après que chaque partenaire a exprimé ses sentiments comme ci-dessus, celui qui écoute doit bercer et calmer son âme douloureuse. Essayez de bercer et de tenir votre partenaire pendant quinze minutes. Pleurez ensemble; parlez de vos blessures d'enfance qui ont influencé votre comportement et de la douleur qu'elles vous causent encore.

Si vous êtes le partenaire trompé, quelque chose de magique peut se produire. Vous pouvez cesser de considérer l'autre comme votre ennemi et voir l'enfant solitaire et souffrant qu'il est. **Le fait de prendre cet enfant dans vos bras ne signifie pas que vous excusez le comportement adultère; cela signifie simplement que vous entendez son appel à l'aide.**

Si vous êtes le partenaire infidèle, vous pourrez constater combien votre partenaire souffrait avant de vous rencontrer. Cela peut aussi vous permettre de diminuer votre colère et votre culpabilité et de vous encourager à sympathiser.

Par exemple, ma mère et moi avons abandonné mon père à cause de son comportement scandaleux, jusqu'à cet instant magique où, dans le cabinet du docteur Fogarty, nous avons enfin perçu en lui l'enfant de dix ans traumatisé et perdu. J'ai été très en colère mais j'ai senti mes sentiments tourner à la tendresse. Lui, à son tour, a commencé à considérer différemment sa mère, sa femme et sa fille. Ce n'est qu'à ce moment-là que nous avons pu nous engager sur le long chemin du pardon.

Cet exercice est important parce que c'est seulement après avoir pu identifier nos problèmes avec nos parents que nous pouvons aimer vraiment les autres.

DÉSIRS DE CHANGEMENT DE COMPORTEMENT

Lorsque chaque partenaire a terminé son embrassade réconfortante, il doit rédiger la liste des trois changements de comportement qui pourront l'aider à soulager ses peines de cœur. Plus les partenaires noteront de changements et mieux la relation de couple se portera. N'oubliez pas que c'est ce que vous attendez le plus de votre partenaire qui lui est le plus difficile à donner.

Le partenaire qui écoute *doit* être d'accord avec l'un ou les trois d'entre eux — s'il est absolument certain de ce qu'il va faire.

EXEMPLES:

- Je voudrais que tu me consacres plus de temps.
- Je voudrais que tu rentres du bureau avant 20 h parce que cela me donne plus confiance en toi.
- Je voudrais que tu cesses de parler de ta maîtresse ou de ton amant.

Ces changements ne sont *pas* faciles, mais en changeant pour satisfaire votre partenaire, vous vous sentirez moins égoïste.

PÉNITENCE

Dans pratiquement tous les cas, le partenaire trompé est tellement en colère ou obsédé par la liaison du partenaire adultère que ce dernier doit lui prouver sa bonne foi (et souffrir) avant qu'il puisse poursuivre et que le partenaire trompé puisse reconnaître son influence. Dans ces situations, tous deux ont besoin de se mettre d'accord sur une «pénitence» à subir pendant un certain temps. (Elle ne doit pas se prolonger toute la vie!)

Une de mes patientes a puni son mari infidèle en dépensant une petite fortune sur ses cartes de crédit pendant huit heures — comme convenu au préalable. Il a payé la note de 5000 dollars. Comme il se doit, la pénitence avait été négociée, acceptée et accomplie dans un laps de temps limité.

TROISIÈME EXERCICE: LA LUTTE

Quelquefois, vous voulez simplement mener la vie dure à votre partenaire. Lorsque l'hostilité devient excessive, essayez ces exercices de catharsis (libération émotionnelle de souvenirs traumatisants et refoulés) d'une durée limitée adaptés à partir de la méthode PAIRS (Practical Applications to Intimate Relationship Skills) et du livre de George Bach, *Ennemis intimes.*

Les déclamations, les divagations, les cris, les insultes, les accusations, les pleurs et les malédictions — toutes les sortes de manifestations intenses — sont permises. Comme toujours, vous devez demander la permission, prendre un rendez-vous et vous limiter dans le temps.

L'EMPOIGNADE DE UNE MINUTE

Cette fois-ci, ne vous écoutez pas mutuellement. Criez, hurlez et parlez en même temps — cela devrait probablement ressembler beaucoup à vos anciennes disputes. Hurlez tout ce que vous pensez au sujet de celui ou de celle que vous pensez être l'amant ou la maîtresse de votre partenaire, plus tout le ressentiment que vous avez accumulé avec le temps.

Le «truc», c'est que vous n'avez que une minute pour le faire. Utilisez la minuterie de votre four à micro-ondes ou un réveil et respectez son indication.

LA GUERRE DE 16 MINUTES

Prenez un rendez-vous pour cette bataille ritualisée. Les partenaires ont des bouchons dans les oreilles ou un baladeur et utilisent une minuterie ou un réveil. Déterminez celui qui commence en jouant à pile ou face.

Chaque partenaire dispose de deux périodes de défoulement de quatre minutes chacune. L'autre partenaire n'est cependant pas obligé d'écouter. Tâchez d'avoir le plus d'intensité possible.

MONOLOGUE

Chacun des partenaires doit faire une diatribe de 5 à 15 minutes pendant que l'autre garde le silence. Les réparties ne sont pas autorisées, mais l'écoute est obligatoire. Il est inutile d'utiliser la validation ou un changement de comportement.

ATTAQUE DE L'AMANT OU DE LA MAÎTRESSE (TEMPS LIMITÉ PAR LE PARTENAIRE ADULTÈRE)

Le partenaire trompé attaque l'amant ou la maîtresse du partenaire infidèle, pose des questions à son sujet et se plaint de ce qu'il a ruiné sa vie. C'est le SEUL moment pendant lequel vous pouvez le faire, bien que vous puissiez répéter cet exercice aussi souvent que nécessaire à condition de vous arrêter à la demande du partenaire infidèle. Il peut ne pas réagir, se défendre ou protéger l'amant ou la maîtresse comme il le fait habituellement, mais peut répondre à des questions. (Comme je l'ai remarqué, cet exercice aide à soulager la colère du partenaire trompé et à écarter les obsessions. Plus vous parlez et moins elles demeurent.) **Mise en garde: Si vous ne respectez pas les règles, vous risquez de renvoyer votre partenaire à son amant ou à sa maîtresse.**

Attention: il vaut mieux ne pas verbaliser certaines questions ou, au moins, ne pas y répondre. Voulez-vous vraiment une description illustrée de l'endroit, du moment et de la manière dont l'adultère a été commis? Pensez-vous être jamais capable d'effacer cette image de votre esprit?

Et ne dites jamais «De toute façon, je ne t'ai jamais aimé.»

Si le partenaire trompé le demande, le partenaire adultère peut résister à l'impulsion de chercher une revanche par fanfaronnade — à moins qu'il se moque de jamais rétablir les choses.

Résistez aussi à l'envie courante de défendre votre amant ou votre maîtresse en disant «Il ou elle est plus beau ou belle — et bien meilleur que toi au lit!» même si les accusations sont injustes ou mensongères. En agissant ainsi, vous risquez de détruire définitivement les bases de votre relation.

Voici les questions légitimes auxquelles le partenaire infidèle doit s'attendre:

- Qui est-ce?
- Où le ou la rencontres-tu?
- Depuis combien de temps dure votre liaison?
- Quand vous rencontrez-vous?
- Allez-vous cesser?
- L'aimes-tu?
- Vas-tu me quitter et l'épouser?
- Qui d'autre est au courant?
- M'aimes-tu encore?

Éclaircissements

Les exercices précédents peuvent être fatigants et affectivement éprouvants. Après les avoir effectués, vous devez soulager vos tensions avec quelques distractions, ce qui est précisément ce qui manque à de nombreux couples adultères.

Vous pouvez aussi essayer une de ces méthodes toutes les fois que vous sentez le besoin de décompresser. Elles favorisent le rire. Vous pouvez le gonfler et le transformer en un éclat de rire tonitruant. Un minimum de trente secondes d'un rire puissant libère des endorphines dans la circulation sanguine — les hormones de plaisir de notre cerveau — et il est immédiatement disponible.

LA BATAILLE DE POLOCHONS

Au Japon, cette action se nomme *shindai* ou «bataille de lit». Les couples la pratiquent souvent lorsqu'ils sont en colère, persuadés que l'excitation en résultant stimule la passion et facilite les rapports sexuels. Certains hôtels possèdent même des chambres spéciales avec des oreillers supplémentaires pour s'y adonner.

Prenez deux vieux oreillers en plume et faites-leur une incision pour que les plumes puissent voler. Fixez une durée et mettez au point une stratégie.

Puis frappez-vous mutuellement à coups d'oreillers. Vous pouvez commencer par libérer toute votre colère accumulée mais vous finirez certainement par rire. L'exercice physique, la libération de la colère, le jeu et le rire profond sont tous curatifs.

Si c'est le partenaire adultère qui vide le premier son oreiller de ses plumes, il peut tomber à genoux, toucher les orteils de son adversaire et faire d'«humbles excuses» (pour son adultère) avant de se mettre en position fœtale pour que le vainqueur puisse l'«achever».

Si c'est le partenaire trompé qui perd et veut se retirer du combat, il peut déposer son oreiller et déclarer «J'abandonne et je te caresse». Puis il le fait en commençant par l'oreiller de son partenaire et en se rapprochant de lui. Il doit aussi s'excuser pour son éventuelle responsabilité dans la liaison et conserver une humilité totale.

D'autres exercices peuvent aussi entraîner ce que le docteur Hendrix appelle l'«enjouement détendu».

LA RONDE

Pour stimuler un sens du jeu qui fait habituellement défaut aux partenaires, tenez-vous par les mains et faites la ronde autour de la pièce jusqu'à ce que vous vous sépariez en éclatant de rire pendant au moins trente secondes. Regardez-vous dans les yeux et terminez en vous serrant mutuellement dans vos bras.

LE PLUS HAUT SAUT

Essayez de déterminer lequel de vous deux saute le plus haut et terminez par un grand éclat de rire comme précédemment.

LE CHIMPANZÉ

Comportez-vous comme un singe en jacassant et en vous grattant, et terminez en vous faisant rire mutuellement.

Si tout cela ne réussit pas, souvenez-vous des deux déclencheurs infaillibles de rire: chatouillez-vous mutuellement ou faites poser la tête du partenaire qui ne rit pas sur l'estomac de celui qui y parvient… C'est contagieux!

Chapitre 10

À l'usage non exclusif des amoureux

Qu'est-ce qui transforme une personne en l'Autre homme ou l'Autre femme du triangle amoureux?

Les mêmes motifs qui jettent les gens mariés dans les bras d'une autre personne s'appliquent aussi aux amants et aux maîtresses: il s'agit des besoins non satisfaits et non reconnus de l'enfance. Comme nous tous, les amants ou les maîtresses ont peur d'être abandonnés. Ils ont aussi souvent peur d'être débordés ou étouffés par un partenaire trop exigeant, mais avec quelqu'un de marié, cette peur diminue.

Un partenaire marié permet aussi à l'amant ou à la maîtresse de reconstruire le triangle œdipien de sa jeunesse — mais maintenant, il peut avoir une idylle avec son parent du sexe opposé!

Dans de nombreux cas, l'amant ou la maîtresse a une faible estime de soi. Il sent qu'il ne vaut pas vraiment plus que son implication à temps partiel. L'arrangement a cependant des compensations. L'amant ou la maîtresse voit le partenaire infidèle sous son jour le plus ardent et n'a jamais à discuter avec lui d'impôt sur le revenu.

Mais finalement, cette situation n'est pas satisfaisante. **Si l'amant ou la maîtresse insiste pour avoir une plus grande implication, la liaison adultère passe, comme toutes les autres**

relations, du stade de la lune de miel à celui de la lutte de pouvoir. Et, dans 95 p. 100 des cas, il s'agit d'une lutte qu'il ou elle ne peut pas gagner. S'il doit faire un effort particulier pour sa relation, pense le partenaire adultère, pourquoi ne reviendrait-il pas à la personne qui représente déjà un investissement considérable?

Souvenez-vous de ce que dit le personnage de Nick Nolte à Barbra Streisand, l'héroïne de *Le prince des marées,* lorsqu'il la quitte pour retourner chez sa femme. Lorsqu'elle lui demande s'il aime plus son épouse qu'elle, il répond que non, pas plus, mais depuis plus longtemps.

Même s'ils ne se marient pas, ces nouveaux partenaires regardent toujours nerveusement par-dessus leur épaule, soucieux de ne pas refaire la même erreur. Et avec de bonnes raisons: le taux d'adultères et de divorces est beaucoup plus élevé dans les seconds mariages que dans les premiers.

Ces amants et maîtresses ont donc souvent de bonnes raisons de regretter amèrement leur engagement avec des partenaires infidèles.

Voici maintenant quelques-unes de leurs histoires.

La petite chérie de son papa

Élisabeth était un exemple classique de ce qui se passe chez des petites filles adorées comme Christine (au chapitre 5) lorsque les limites ne sont pas clairement établies. Charmante et pétillante rédactrice au début de la trentaine, Élisabeth semblait plutôt fière de son statut d'Autre femme. «Mon destin est d'être malheureuse en amour, m'a-t-elle annoncé en entrant dans mon bureau. J'ai eu trois fiançailles brisées, et je suis aujourd'hui impliquée avec un homme dont c'est le troisième mariage.»

Son père l'avait chérie à l'excès lorsqu'elle était petite fille puis l'avait rejetée à la puberté. Pendant sa thérapie — et avec beaucoup de difficulté —, elle a finalement commencé à réaliser que son éducation avait été confuse et contradictoire. En ne choisissant que des hommes mariés, elle faisait encore concurrence à sa mère pour l'amour de son père.

«Ma mère est une vraie beauté, m'avait-elle confié. Tout le monde est d'accord là-dessus. Elle est cadre supérieur dans la mode. Elle passe, évidemment, beaucoup de temps au salon de beauté. Elle critique toujours ma coiffure et mes vêtements.»

Élisabeth avait de grandes difficultés avec l'intimité. Toutes les fois qu'un homme commençait à l'approcher, toutes les fois que les choses se passaient bien, elle se renfermait parce qu'elle se sentait coupable.

Au cours de nos séances de thérapie, elle a rencontré un homme marié qui est tombé amoureux d'elle et a divorcé de sa femme. Il voulait l'épouser. Une nouvelle fois, elle a pris la fuite, perdant tout intérêt pour lui, lui trouvant des défauts et finissant par le tromper comme elle l'avait toujours fait auparavant.

Avant qu'elle vienne me consulter pour savoir comment travailler sur sa famille d'origine, elle avait suivi une thérapie individuelle pendant treize ans. Elle blâmait ses parents pour ses problèmes, mais ne voulait pas traiter son vide intérieur. Elle ne pouvait donc pas briser le modèle en reprenant contact avec sa mère et son père. Toutes les fois qu'elle progressait, elle voulait arrêter de venir aux rendez-vous. Elle a fini par me fuir comme elle avait fui toutes ses relations de couple. Aujourd'hui, elle continue d'aller d'un homme à l'autre.

Je m'en irai

Michèle, que nous avons rencontrée au chapitre 3, était bien déterminée à ne pas employer les mêmes manières immorales que son frère jumeau Simon.

Et qu'a-t-elle fait? *Elle a choisi Aldo, un homme qui ressemblait beaucoup à Simon.* La mort de sa mère alors qu'elle était adolescente lui faisait craindre d'être abandonnée, mais elle craignait aussi de trop s'impliquer avec un homme qui risquait de la quitter comme son frère avait quitté trois épouses.

Arrivée d'Aldo, le pilote marié depuis longtemps à Carla, la mère de ses cinq enfants. Il était né en Europe d'un père coureur de jupons et il avait eu de nombreuses maîtresses avant Michèle. Elle était toutefois parvenue à se convaincre que, cette fois-ci, le véritable amour serait vainqueur et qu'il l'épouserait.

En tant que thérapeute, j'essaie souvent d'aider l'amant ou la maîtresse à faire revenir le partenaire marié malgré les refus ou les difficultés. Dans le cas de Michèle, Aldo allait revenir à sa femme parce qu'il commençait à être fatigué de l'obsession de sa maîtresse pour lui.

Lorsqu'il est venu me voir seul, je lui ai demandé s'il avait l'intention de quitter son épouse pour sa maîtresse. Il a reconnu que Carla était assez exigeante et qu'il aurait souhaité quelqu'un de plus simple et de moins strict. Michèle, disait-il avec un léger rire, était peut-être trop conforme à ses désirs. «Michèle est une personne très agréable, mais nous venons de deux mondes différents. Nous n'avons pas la même religion. Ma famille est très cultivée, et son père est ouvrier. Son appartement est trop modeste pour mon goût. Elle n'aime pas les sports et nous n'avons pas grand-chose en commun. Elle m'ennuie beaucoup lorsqu'elle me demande de quitter ma femme et mes enfants.»

De plus, cette fois-ci, Carla était humiliée: s'il la quittait, elle prendrait les enfants et s'en irait très loin, dans un endroit où il ne pourrait plus les voir.

«Pourquoi donnez-vous de faux espoirs à Michèle? Pourquoi ne la laissez-vous pas partir?» ai-je demandé.

— Elle peut partir n'importe quand», a-t-il répondu en haussant les épaules.

Au cours de ses séances individuelles, Michèle se concentrait sur la manière dont elle s'était sentie négligée lorsque son père avait fait passer son travail avant ses enfants sans mère. Il préférait son frère jumeau et elle s'était aussi sentie éclipsée par lui. «Suis-je condamnée à être toujours seconde», demandait-elle? Toutefois, Aldo avait toujours pu lui raconter des mensonges. «Je ne suis pas encore assez forte pour le quitter», soupirait-elle.

Ils ont fini par venir me voir tous les deux. Elle réclamait: «Décide-toi une fois pour toutes. Veux-tu divorcer de Carla et m'épouser, ou allons-nous rompre définitivement?»

«Je suis un homme honorable, se défendait Aldo. Ma religion est opposée au divorce. De plus, je me sentirais trop coupable d'abandonner ma femme et mes enfants.»

Michèle avait fondu en larmes devant cette réponse — mais leurs liens avaient souffert.

Elle a commencé à chercher un homme acceptable. Comme cela se produit souvent avec les fuyards, Aldo a recommencé à la poursuivre en apprenant qu'elle s'était fiancée. Cette fois-ci, elle n'a toutefois pas voulu recommencer le même jeu.

Carla, pendant ce temps, n'avait pas tellement de chance. Elle était venue me voir pour suivre quelques séances de thérapie. J'ai essayé de l'aider à trouver un emploi et à devenir plus indépendante d'Aldo. Mais, après que Michèle l'a quitté, il a demandé à son épouse de cesser sa thérapie sans quoi il la quitterait à son tour.

Je crois qu'ils sont toujours mariés et malheureux, et qu'il a recommencé à être infidèle.

Vaincre l'horloge biologique

Lisa a payé très cher les illusions qu'elle s'était faites sur Alain, directeur de son école et marié. Cette jeune enseignante de 35 ans désirait d'avoir un enfant — un souhait que sa liaison avait retardé.

«Alain m'a promis qu'il quitterait sa femme et m'épouserait», avait dit Lisa au cours d'une séance commune. «Si j'ai fait une telle promesse, ce devait être dans un moment de passion, avait répondu Alain en changeant constamment de position dans son fauteuil. Elle aurait dû savoir depuis le début que notre liaison, bien que merveilleuse, n'irait jamais plus loin. Je veux rester libre.»

Et c'est bien ce qu'il avait fait. Descendant d'une famille de séducteurs, Alain trompait Lisa tout comme il trompait sa femme. Elle en avait eu une preuve irréfutable en découvrant qu'il lui avait transmis des condylomes.

J'ai dû rester ferme et insister sur le fait que je ne la traiterais pas avant qu'elle ait cessé de coucher avec lui et qu'elle me l'ait amené en thérapie. Je me sentais aussi responsable du fait qu'il risquait de transmettre cette MST à sa femme ou à d'autres partenaires.

Après qu'Alain a reconnu n'avoir jamais eu l'intention d'épouser Lisa, il a promis de prévenir ses autres partenaires de leur risque d'infection.

Même après ces découvertes, Lisa avait persisté à dire pendant de nombreuses séances individuelles qu'elle l'aimait toujours. Elle était seulement capable de se libérer en travaillant avec ses parents perfectionnistes — pendant et entre les séances — pour guérir les blessures de l'enfance qu'ils lui avaient infligées.

Ils avaient attendu d'elle qu'elle excelle et soit la meilleure dans tout ce qu'elle entreprenait. Sa mère était surprotectrice et exigeante et Lisa se sentait étouffée par sa présence. Alain lui donnait tout l'espace dont elle avait besoin. Il était aussi une figure d'autorité dont elle devait recueillir l'approbation. Qui mieux que le directeur de son école pouvait remplacer sa mère?

Lisa a pu progresser parce qu'elle souhaitait revenir en arrière, explorer son vide intérieur et se réconcilier avec ses parents. Elle est aujourd'hui mariée à un homme fidèle et attend son premier enfant.

Dangers de la sexualité

Comme je l'ai remarqué, certains de mes clients célibataires sont convaincus que coucher avec une maîtresse ou un amant marié est plus sûr en cette époque de sida. Comme Lisa vient de le démontrer, rien n'est plus faux.

Examinons le cas d'Anne, mannequin célèbre de 25 ans qui espérait se marier. Quelques années avant ses fiançailles, elle avait eu une aventure avec un homme marié lors d'un congrès et avait contracté de l'herpès génital. Elle ne voulait pas avoir de rapports sexuels avec son fiancé sans le prévenir et souhaitait l'amener en thérapie pour lui faire cette confidence dans un environnement propice. Mais il a été trop choqué et déçu par cette révélation pour continuer à la voir et il a fini par rompre avec elle.

Le dernier triangle amoureux

Il n'est pas nécessaire d'être marié pour être un partenaire infidèle et indisponible.

Demandez simplement à Marie ou à Élise qui ont été prises au piège dans ce qui pourrait être le dernier triangle amoureux avec Jean-Luc, un bel acteur.

Marie, une productrice de télévision de 28 ans, était follement heureuse lorsque Jean-Luc lui a proposé de l'épouser. Puis il est parti en voyage sans même la prévenir. Inquiète de ne pas avoir de ses nouvelles pendant une semaine, elle est allée dans son appartement avec la clé qu'il lui avait donnée.

Là, elle a appuyé sur le bouton de recomposition de son téléphone.

Une femme lui a répondu. «Qui êtes-*vous*? a demandé Marie.

— Je suis l'*amie* de Jean-Luc.

— Non, a dit Marie, ce n'est pas possible parce que je suis sa *fiancée.*

— Mais voyons, c'est *impossible,* a éclaté Élise, parce que *nous* venons de passer une semaine ensemble en Espagne.

— Mais il est fiancé avec *moi,* a gémi Marie.

— Bon, rencontrons-nous et parlons de tout ça», a dit Élise.

Elles se sont rencontrées et ont échangé des informations très douloureuses.

«Vous pouvez le garder après tous les mensonges qu'il m'a faits, a dit Marie.

— Je ne le veux pas non plus, a répondu Élise, une actrice qui avait rencontré Jean-Luc au cours d'un tournage et était sortie avec lui — en exclusivité pensait-elle — pendant neuf mois. S'il pense qu'il peut s'en tirer comme ça.»

Toutes deux ont décidé d'affronter ensemble leur amant et elles étaient assises sur son lit lorsqu'il est rentré chez lui.

«Comment as-tu pu me faire ça? a crié Marie.

— Il va falloir que tu choisisses», a dit Élise.

Il leur a répondu qu'il les aimait toutes les deux.

«Impossible, a répliqué Élise en insistant. C'est maintenant ou jamais — choisis!

— Ce n'est pas nécessaire parce que je ne veux plus entendre parler de lui», a crié Marie en claquant la porte.

Élise et Jean-Luc sont restés ensemble pendant trois semaines avant qu'il lui avoue son désir de revoir Marie.

Ils ont donc repris leur relation, mais sans sexualité. Marie, qui était ma cliente, disait qu'elle était malade lorsqu'elle l'imaginait avec Élise. Là encore, elle ne parvenait pas à le quitter définitivement. Elle avait perdu 4,5 kg et elle se sentait malheureuse.

Jean-Luc est venu me rencontrer. Aucune des deux femmes ne voulait faire l'amour avec lui, et il avait une mine épouvantable. Il a avoué qu'il avait vraiment le cœur brisé et ne savait plus où il en était. Son incapacité à se décider le rendait malade.

Quelques mois plus tard, Marie concluait que, si Jean-Luc l'avait suffisamment aimée, il n'aurait jamais eu une liaison avec une autre femme. Elle a donc cessé de le voir.

Il a fini par rompre définitivement avec Élise et il est retourné vers Marie. «Il est tout à vous, lui a dit Élise après la rupture. Je sais qu'il vous aime vraiment et s'est servi de moi pour se libérer de sa promesse de vous épouser.»

Les plans de mariage ont donc été mis en suspens. Pour l'instant, Jean-Luc et Marie agissent prudemment et essaient de traiter d'abord leur peur mutuelle de l'intimité.

TRENTE MOYENS DE QUITTER SON AMANT OU SA MAÎTRESSE

Si vous êtes un amant ou une maîtresse, il vous manque quelque chose. Vous pouvez le trouver, comme Lisa l'a fait, en cessant de chercher dans les mauvais endroits.

1. Commencez par vous-même. Avouez-vous que vous êtes plus à l'aise avec un partenaire non disponible. Admettez votre peur de l'intimité et explorez-en les racines.
2. Pensez aux modèles d'intimité dans votre propre famille. Recherchez-les sur votre «génogramme» (voir chapitre 3).
3. Est-ce que votre famille compte des amours illicites ou des divorces?
4. Ceux qui ont de la difficulté à maintenir l'intimité ne sont probablement pas très proches de leur famille — même si, en apparence, le contraire semble vrai. Vous pouvez passer du temps avec votre famille, mais sans communiquer vraiment avec vos parents. Ou vous pouvez ne pas les voir tout en continuant à penser à eux.
   Demandez-vous si vous en êtes proche et quelle sorte de ressentiment vous nourrissez encore envers eux.
5. Essayez de commencer à pardonner le parent avec lequel vous êtes le moins proche. Si vous continuez à avoir des liaisons adultères avec des partenaires indisponibles, il existe certainement une forme de trahison dans votre passé. Effectuez les exercices sur le deuil du chapitre suivant.
6. Si ce parent est mort, écrivez-lui deux lettres — une pour toutes les choses positives qu'il vous a transmises et l'autre pour les négatives. Allez sur sa tombe et lisez-lui silencieusement ces lettres si vous êtes trop gêné pour les lui lire à voix haute. Demandez des renseignements sur lui à d'autres membres de la famille pour pouvoir compléter son portrait et corriger votre vision d'enfant.

LÂCHER PRISE

7. Ne vous torturez pas et ne torturez pas votre ex-partenaire. Ne lui envoyez pas de lettres ridicules ou ne raccrochez pas le téléphone sans parler.
8. Tenez-vous loin des endroits que vous aviez l'habitude de fréquenter ensemble.
9. N'appelez pas vos amis communs pour savoir comment il va.
10. Ne profitez pas d'une occasion spéciale — anniversaire, augmentation ou promotion — comme d'une excuse pour raviver votre liaison.
11. Ne profitez pas non plus des occasions comme un décès dans la famille. «Mais il a *besoin* de moi aujourd'hui» est un raisonnement destructeur.
12. Débarrassez-vous de ses vêtements et des souvenirs. Rendez-lui ce qui lui appartient en rompant, envoyez ses choses par la poste, brûlez-les ou enterrez-les.
13. Si vous travailliez ensemble, essayez de vous faire transférer dans un autre département ou cherchez-vous un autre emploi.
14. Faites savoir à vos amis que vous êtes libre pour rencontrer des gens.
15. Ne racontez pas sans fin les détails de votre relation et de votre séparation. Même vos amis peuvent se fatiguer de les entendre. Fâchez-vous, soyez triste — puis passez à autre chose.
16. Résistez à l'envie d'avoir l'air pitoyable — car vous finiriez par en être embarrassé.
17. Prenez compte de votre responsabilité dans le triangle. Qu'est-ce qui attirait vos peurs et vos besoins profonds?
18. Cessez de comparer chaque rencontre ou chaque partenaire potentiel avec votre ex-partenaire; personne ne peut se comparer à un mythe.
19. Imaginez votre amant ou maîtresse avec 20 ans et 22 kg de plus.
20. Faites une liste de ses traits de caractère négatifs.
21. Remettez-vous dans la «circulation». Allez à des soirées, à des réceptions et à des séminaires. Vous n'avez *pas* à attendre jusqu'au moment où vous serez complètement débarrassé de votre colère et de votre chagrin.

22. Dans une soirée, parlez délibérément avec quelqu'un qui n'est *pas* votre type de partenaire habituel. Peut-être n'est-il pas parfaitement habillé ou coiffé... mais cela ne s'est pas finalement si bien passé avec votre type habituel.
    Et tenez-vous loin des gens mariés, car vous *savez* que cela ne marche pas! Faites-en une règle d'or!
23. Sortez avec des gens qui peuvent sembler ennuyeux ou pas très attirants au premier abord. Là encore, votre jugement risque de ne pas être parfait. Et, on ne sait jamais!... Plusieurs de mes clients célibataires ont fini par se marier avec des personnes qu'ils avaient d'abord rejetées.

La difficulté à être satisfait masque parfois de la peur.

24. Prenez des vacances qui vous forceront à rencontrer des gens et à vous mélanger à eux.
25. Faites-vous de nouveaux amis célibataires des deux sexes.
26. Trouvez-vous un projet qui vous tienne vraiment à cœur: faire du bénévolat, suivre des cours du soir, écrire une nouvelle. Consacrez-y votre temps libre.
27. Répétez-vous que vous êtes prêt à prendre encore des risques. Oui, vous risquez de souffrir, mais la souffrance ne fait-elle pas partie de l'amour?
28. Donnez-vous le temps et les occasions pour pleurer sur votre relation terminée... mais en privé.
29. Changez quelque chose d'important en vous qui décuplera votre confiance. Faites friser vos cheveux, perdez 5 kg, ayez de nouveaux contacts, laissez-vous pousser la barbe ou la moustache, ou faites refaire vos dents.
30. Prenez soin de vous. Mangez correctement, faites de l'exercice, ne soyez pas trop dur avec vous-même.

Vous méritez mieux qu'une moitié de relation.
Voici quelques exercices pour vous aider à y parvenir.

L'AMANT OU LA MAÎTRESSE EN FAMILLE

Trois fois par jour, ayez des pensées négatives sur votre amant ou votre maîtresse. Imaginez-le plus gros, plus âgé ou assis dans un fauteuil vêtu d'un pyjama taché.

Trois fois par jour, visualisez le partenaire adultère avec sa propre famille. Pensez à ce qu'il fait à son conjoint et à ses enfants.

Visualisez-les rassemblés autour d'un sapin de Noël. Sentez combien il leur manque lorsqu'il n'est pas avec eux.

Adieu, mon amour

Utilisez un ami ou un parent pour jouer le rôle de votre amant ou de votre maîtresse dans cet adieu symbolique. Le parent contre lequel vous êtes en colère, celui qui était le plus distant ou qui vous a trahi conviendra parfaitement.

Rappelez-vous ensuite des souvenirs de votre relation et renoncez-y. Tout d'abord, pour s'assurer que vous êtes prêt, le remplaçant dit «Comment était le fait d'avoir une relation ensemble». Vous répondez. Si vous n'avez que de merveilleux souvenirs, le remplaçant demande alors des détails à propos des faits négatifs.

Puis vous dites adieu aux bons moments. Dites: «Je dis adieu à tous les soupers aux chandelles, aux fleurs, aux massages du dos. Je ne les aurai plus jamais.»

Ensuite, dites aussi adieu à tous les moments pénibles. Exagérez l'aspect négatif, la manière dont vous vous sentiez au deuxième rang après la famille de votre partenaire et le fait que vous n'ayez jamais passé de fins de semaine ou de vacances avec lui.

Le remplaçant doit répéter et valider ce que vous avez dit, exprimant de la sympathie pour votre douleur.

Ayez des mouchoirs à portée de la main. Laissez le remplaçant vous soutenir lorsque vous retrouvez vos souvenirs d'enfance, les aspects positifs et négatifs de votre vie, la recherche de nouveaux liens alors que vous rompez les anciens.

Pour finir, dites adieu pour de bon à votre amant ou maîtresse et aux expériences des années passées. Proclamez-vous libre de votre passé et prêt à avancer… sans regarder derrière vous.

Chapitre 11

Chagrin et adieux

Les partenaires ont tous deux quelque chose à perdre lorsque l'adultère vient briser leur relation.

Le partenaire trompé a l'impression qu'il ne pourra plus faire confiance ni aimer à nouveau. Le partenaire adultère craint de ne jamais pouvoir retrouver un amour aussi parfait et aussi peu exigeant.

Ils doivent tous deux porter le deuil de ce qu'ils ont perdu avant de pouvoir changer ou passer à autre chose. Comme avec tout chagrin, celui qui résulte d'une relation terminée passe par plusieurs stades: la dénégation, la colère, la culpabilité et l'acceptation. Le couple doit vivre tous ces stades avant de pouvoir se pardonner et renaître. Le processus demande beaucoup de courage, de détermination et d'énergie — mais la récompense finale est l'amour dans la vie réelle.

Vous ne pouvez pas ignorer ni masquer ces sentiments.

Tom a essayé de le faire lorsque Ginette s'est enfuie avec un autre homme un an après l'avoir épousé. Ses émotions refoulées lui ont provoqué de terribles maux de cœur — au sens propre et au sens figuré. Pris de panique, il s'est précipité aux urgences d'un hôpital avec des douleurs dans la poitrine et des palpitations cardiaques. Les médecins lui ont dit qu'elles étaient dues à une forte angoisse et lui ont prescrit des tranquillisants. Mais l'effet de ces médicaments a été insuffisant et un de ses amis me l'a envoyé.

Je lui ai dit qu'au lieu de prendre des médicaments, il devait s'autoriser le deuil de son amour et croire que sa perte était un accident.

Mais il ne voulait pas affronter sa tristesse ni son vide intérieur, car «ça lui faisait trop mal». Il a donc refusé la thérapie, recommencé à prendre des tranquillisants et essayé de s'échapper par toutes sortes d'excès — excès de travail, de voyages, d'alcool, de jeux de hasard, de nourriture et de maîtresses.

Trois ans plus tard, il est revenu me voir parce qu'il souhaitait se remarier, mais avait été incapable de se rapprocher de sa fiancée. Il ne voulait toujours pas réparer son vide intérieur. Je n'ai donc pas pu l'aider et il a rompu ses fiançailles.

Vous ne pouvez pas pardonner ni changer votre vie tant que le ressentiment, l'amertume et la douleur l'habitent.

Vous ne pouvez pas non plus nier la présence de votre vide intérieur, même si tellement de gens essaient d'y parvenir.

Choses à faire par le partenaire trompé

Autorisez-vous à déplorer la fin de votre relation de couple.

Ne demeurez cependant pas accroché au passé en soupirant sur la merveilleuse manière dont les choses se passaient. De toute évidence, tout n'était *pas* aussi parfait sinon l'adultère n'aurait pas eu lieu!

Reconnaissez les bons et les mauvais côtés de votre couple et votre contribution à chacun.

Comprenez que votre partenaire est lui aussi blessé. L'abandon d'une liaison peut être extrêmement difficile. Au pire, votre partenaire peut regretter l'excitation, la passion sans complications et le plaisir — tous les aspects agréables de l'amour extraconjugal. De plus, il *ressent* certainement de la culpabilité et de la tristesse pour la douleur qu'il vous inflige.

Dans la plupart des cas, un partenaire adultère se sentira déchiré entre son amour pour sa partenaire habituelle et celui qu'il ressent pour sa maîtresse. En protégeant sa maîtresse, il protège une partie inconnue de lui-même. Il perçoit cela comme une dernière chance de revivre son enfance et c'est la raison pour laquelle la fin de cette relation pourrait se comparer à la perte d'un bras ou d'une jambe.

Je ne suggère pas que les victimes de l'adultère excusent celui-ci, mais bien qu'elles travaillent à comprendre ce qui l'a provoqué pour pouvoir progresser dans le pardon et la renaissance du couple.

Pour revitaliser leur relation, les deux partenaires doivent examiner leurs modèles familiaux et souhaiter une nouvelle forme d'amour. Si vous avez, par exemple, toujours été poursuivant, vous devrez apprendre à conserver une distance avec vous-même pour rattraper le fuyard — comme mes parents et un grand nombre de mes clients l'ont fait. N'oubliez pas que certains aspects du fuyard sont aussi cachés dans le poursuivant. En reculant, vous serez étonné de découvrir que le fuyard continue à vous poursuivre.

Le partenaire trompé doit être prudent. *Vous devez pouvoir indiquer la porte au partenaire adultère mais, ne pas la lui claquer au nez. Montrez-vous ferme sur la nécessité qu'il a de rompre avec son amant ou sa maîtresse, mais assurez-vous qu'il sait à quel point VOUS l'aimez.* Il a besoin de voir ce que vous souhaitez faire et à quel point vous êtes prêt à vous battre pour votre couple, avec la certitude de réussir. Au fond de lui, il est terrifié de choisir l'Autre, qu'il ne connaît pas si bien, et de vous perdre définitivement.

Puisque vous ne comptez plus sur le partenaire adultère, vous *serez* seul — et la reprise de contact avec votre famille d'origine est très importante, car elle vous permettra de compenser votre douleur.

Choses à faire par le partenaire adultère

La première chose à faire est de **renoncer** à votre relation adultère pour pouvoir reconstruire votre couple. Aucun changement ne peut avoir lieu dans une relation de couple tant qu'un des partenaires est infidèle.

Autorisez-vous à **ressentir** votre perte. Le renoncement à ce qui promettait d'être une union parfaite augmentera vos sentiments de vide intérieur et d'angoisse.

Regardez les dommages que vous avez faits à la confiance de votre partenaire, mais aussi de vos parents, vos frères et sœurs et vos amis.

Vous devez **pleurer** votre roman d'amour terminé et votre relation de couple éprouvée, et vous désoler des blessures de l'enfance qui ont entraîné ce gâchis. C'est aussi le moment d'effectuer au sein de votre famille d'origine le travail dont vous aviez repoussé l'exécution.

Il s'agit d'un travail difficile et déprimant, car le partenaire adultère doit reconnaître la douleur et l'incertitude subies et prendre ses responsabilités. Cela coûte certainement moins cher et fait moins de mal qu'un divorce — et vous n'avez pas besoin de divorcer si vous avez des enfants.

RENCONTRE OU PAS?

Un partenaire trompé doit-il jamais rencontrer l'amant ou la maîtresse responsable de son infortune?

Cela peut ressembler à une invitation au désastre, mais *je crois que la confrontation peut être justifiée* — si ce n'est pas en personne, du moins par téléphone.

La confrontation sera utile dans des situations où le partenaire trompé est tellement obsédé par l'amant ou la maîtresse qu'il ne voit pas le rôle qu'il a pu lui-même jouer et ne songe pas à pardonner.

La rencontre de votre rival vous permettra de savoir contre quoi lutter. (Comme les rivaux sont aussi curieux de connaître les partenaires habituels, cela explique pourquoi un si grand nombre d'entre eux veulent en parler.) Vous risquez d'être agréablement surpris de découvrir que votre rival (e) n'est pas aussi séduisant ou pulpeuse que vous l'imaginiez, car comme nous l'avons vu, les rivaux ressemblent souvent aux partenaires habituels.

Un contact civilisé peut procurer au partenaire trompé un regain d'estime de soi et de pouvoir. Et le réaliser dans le contexte de la thérapie peut s'avérer très utile et constructif.

La rencontre peut aussi aider le partenaire adultère à s'habituer à l'idée d'interrompre cette relation.

Il ne faut toutefois PAS envisager une rencontre lorsque:

- Vous voyez ensemble un thérapeute et que vous faites des progrès.

- Le partenaire adultère y est fortement opposé.
- Vous-même ou votre rival avez été l'objet de menaces ou d'abus de langage.
- Vous êtes encore trop en colère pour pouvoir vous contrôler. *Attention:* Cela pourrait pousser pour de bon le partenaire adultère dans les bras de votre rival.

Que faut-il faire lorsque la liaison est déjà terminée? Il n'y a aucun besoin de rencontre sauf si vous êtes obsédé par votre rival.

RÈGLES POUR LA RENCONTRE

Vous devriez appliquer les règles suivantes si vous décidez d'organiser une rencontre.

1. Choisissez un lieu public neutre ou organisez une rencontre téléphonique.
2. N'humiliez *jamais* votre partenaire, son amant ou sa maîtresse devant ses amis, ses collègues, ses enfants ou des membres de sa famille.
3. Dites à l'amant ou à la maîtresse que vous ne souhaitez pas le ou la blesser mais que vous aimez encore votre partenaire et que vous savez que l'inverse est vrai.
4. Expliquez clairement que vous vous battez pour votre couple et que vous avez une histoire commune.
5. Demandez du temps pour parvenir à un résultat. Vous devriez spécifier une période comme, par exemple, deux mois, pendant lesquels votre rival évitera de voir votre partenaire tandis que vous suivrez tous deux une thérapie de couple.
6. Sachez que, si votre partenaire rompt votre relation avec des doutes et des remords, votre rival n'en sera pas forcément ravi — et peut même être blessé ou plus par la suite.
7. Ayez la meilleure apparence possible.
8. **Restez calme mais ferme. N'oubliez pas qu'il s'agit de négociations de paix.**
9. Essayez de considérer aussi votre rival comme un enfant blessé. Valorisez ses sentiments, essayez de le mettre de votre côté et demandez-lui d'en faire autant.

10. Montrez les aspects négatifs de la situation de votre partenaire — les enfants, les réalités de l'entretien de deux foyers.

Mais comprenez-le et n'essayez pas de sympathiser.

Le repas avec la maîtresse

Une des clientes les plus décontractées que j'ai jamais rencontrées s'appelait Élaine. Elle était déterminée à reprendre William, son mari âgé de 50 ans, à sa maîtresse Stéphanie.

Comme William temporisait, elle est passée aux actes en organisant un repas avec la jeune femme. Leur dialogue a été le suivant: «J'aimerais refaire de mon couple un succès. Pouvez-vous nous donner une chance d'y parvenir et laisser mon mari en paix?

— Non, je l'aime. Je sais qu'il va vous quitter bientôt.

— Vraiment? Bon, dans ce cas puis-je vous confier quelque chose.»

Élaine a alors calmement commencé à parler de certains faits que William n'avait jamais mentionnés à sa jeune maîtresse.

«Sa mère intervient constamment dans sa vie. Il la soutient et la voit tous les dimanches et pendant toutes les vacances. Nos filles jumelles vont à l'école de médecine dentaire — ce qui implique de très gros frais. Je conserve notre maison et le style de vie auquel je suis habituée.»

Stéphanie est restée assez comiquement la bouche grande ouverte, mais Élaine n'avait pas terminé. «Savez-vous qu'il prend aussi régulièrement des pilules pour une maladie de cœur et qu'il a une hernie discale qui l'empêche de bouger complètement une ou deux fois par an?»

Tous ces détails étaient parfaitement véridiques mais nouveaux pour Stéphanie.

Élaine n'a jamais parlé à William de sa rencontre, mais elle n'a pas vraiment été surprise lorsqu'il lui a annoncé la semaine suivante que leur relation adultère était terminée. Le couple a fait de gros efforts en thérapie et William n'a plus jamais été infidèle.

La fausse victoire de Simone

Simone est, au contraire, un parfait exemple de la manière dont il ne faut *pas* se comporter. Lorsqu'elle a découvert l'existence d'Andréa, la maîtresse de son mari François, elle lui a téléphoné et a commencé à l'injurier.

Andréa a néanmoins conservé sa patience et a demandé à François de retourner auprès de sa femme pendant trois semaines pour lui permettre de faire le point sur ses doutes.

Aucune réconciliation n'était cependant possible parce que Simone voulait simplement obtenir sa revanche et exprimer sa colère. Elle a continué de qualifier Andréa de prostituée devant François et de la traiter ainsi au téléphone. Mais plus elle insultait Andréa, et plus François se rapprochait d'elle.

Simone a dressé le plus d'amis et de parents possible contre François et sa maîtresse. Lorsque je lui ai dit que ce n'était pas la meilleure manière de le ramener à elle, elle a déclaré: «Je me sens mieux ainsi, ça m'enlève un grand poids. C'est la seule chose qui soulage ma douleur.»

Leurs relations restaient toutefois glaciales. *Il est amusant de constater que François était le fils d'un parent adultère qui ne voulait pas que l'histoire se répète et songeait à une réconciliation.* Toutefois, comme cela se produit souvent, il a été poussé à défendre sa maîtresse et s'est vite senti obligé de rester auprès d'elle. Simone s'est donc retrouvée sans rien d'autre que ses sentiments vindicatifs.

Maryse, Zack et Nathalie règlent leurs problèmes

De temps à autre, l'amant ou la maîtresse est d'accord pour rencontrer un couple et trouver des solutions aux problèmes. Cela se passe habituellement mieux avec l'aide d'un thérapeute sauf si tous les participants sont extrêmement civilisés. Ils doivent discuter des arguments pour et contre la poursuite d'une liaison, de son impact sur la famille et de ce que la relation adultère apporte de plus au partenaire que sa relation de couple.

Dans le cas de Maryse, de Zack et de sa maîtresse Nathalie, tous trois se sont sentis mieux grâce à leur interaction.

Zack avait quitté Maryse pour une femme plus jeune qui a essayé de monter une conspiration contre elle. Nathalie a alors tellement attisé sa colère envers Maryse qu'il n'a jamais cessé de penser combien sa femme et ses deux enfants lui manquaient et combien il se sentait incertain.

Prudente, Maryse a refusé cette situation et a appelé Nathalie. «Bien entendu, j'aime toujours mon mari et il nous manque, mais je comprends qu'il vous aime. Je ne resterai pas dans votre chemin mais, s'il vous plaît, cessez cette guerre parce qu'elle fait souffrir mes enfants. Il vous préfère à eux. Il y a pourtant de la place pour eux *et* pour vous.»

Elle a alors dit à Zack: «Nous n'avons pas fait le travail qu'il nous fallait faire en ayant du chagrin et en nous attristant d'avoir gâché dix-sept ans de vie commune. Ne me hais pas. Cela affecterait ta relation avec Nathalie et les enfants.

«Tu peux la garder mais, comme nous en avons beaucoup parlé, nous devons conserver une bonne relation ensemble tant que les enfants sont petits. Il est certain que je t'aime encore, mais je te *laisse* partir.»

Comme Maryse parlait à Zack de Nathalie en sa présence, il était évident qu'elle l'aimait suffisamment pour le libérer. Il s'est rendu compte que Nathalie, au contraire, était possessive. Son père adultère avait quitté la maison alors qu'elle était toute petite et elle avait très peur d'être abandonnée.

En même temps, Nathalie a commencé à comprendre qu'elle risquait de transmettre le même héritage douloureux aux enfants de Zack.

«Je vous ai fait ce qui m'est arrivé à moi-même», disait-elle en pleurant. Les deux femmes sont alors tombées dans les bras l'une de l'autre et ont cessé de se considérer comme des ennemies. Nathalie a emmené son père en thérapie et s'est réconciliée avec lui. Elle a cessé de voir Zack et a commencé à sortir pour la première fois avec un homme sans attache.

Et Zack, n'étant plus déchiré ni poursuivi par deux femmes, a décidé qu'il aimait suffisamment Maryse et ses enfants pour la retrouver et sauver leur couple.

MÉTHODES DE SURVIE

Les couples qui ne survivent pas à l'adultère peuvent malgré tout être formés de partenaires qui s'aiment, mais dont l'orgueil ou la peur vient perturber la capacité à rester ensemble.

Cela peut sembler tentant, mais par de nombreux aspects le divorce est plus facile.

Là encore, vous pouvez pleurer la fin d'une relation de couple et en commencer une nouvelle lorsque vous pensez pouvoir le faire. Mes parents l'ont fait. Des centaines de mes clients l'ont fait. Ce qui leur permet d'y arriver n'est pas la confiance que je leur fais, mais bien leur propre foi en eux-mêmes. *Vous pouvez avoir besoin d'un thérapeute, mais votre attitude est déterminante, car le succès est possible avec suffisamment d'engagement, de courage et d'optimisme.*

Voici cinq règles qui vous permettront de pleurer la fin de votre relation:

Autorisez-vous à être triste. Vous en avez le droit. Plus vous essaierez de combattre ce sentiment et plus il durera. Demandez toutefois l'aide d'un thérapeute si vous êtes suicidaire ou paralysé par la dépression.

Résistez aux conseils d'autrui comme «Souris, tu te sentiras mieux», «Oublie tes soucis» et «Ne t'inquiète pas, sois heureux».

Investissez du temps pour pleurer et vous occuper de l'autre. Effectuez l'un des exercices ci-dessous chaque jour.

Éliminez la culpabilité, la honte et la peur. Ne continuez pas à vous torturer avec des «Si seulement j'avais...». Ne vous attendez pas à donner votre plein rendement au travail, à l'école ou dans la vie sociale. Racontez que vous avez subi une opération et que vous avez besoin de temps pour vous rétablir.

Concentrez-vous sur l'avenir. Vous vous dirigez vers le pardon et une renaissance de votre relation de couple. Cela aussi finira par passer — lorsque vous serez prêt.

Voici quelques exercices efficaces pour vous aider à traverser cette période.

L'HEURE DE LA DÉPRESSION

Il est parfaitement naturel d'être désolé devant une telle perte. Au début, contentez-vous de traverser simplement les événements. Le matin, si vous buvez habituellement un café à 7 h, continuez; le soir, si vous mangez normalement votre repas à 18 h, ne changez rien. La routine peut vous aider.

Vous vous sentirez désolé, vous aurez le cafard et peur de la mort et des catastrophes. Demandez immédiatement **l'aide d'un thérapeute** si vous êtes déprimé au point de ne pas pouvoir vous lever le matin, de faire des excès de drogue ou d'alcool ou de négliger votre travail ou vos enfants.

Même si vous allez bien dans ces circonstances, accordez-vous tous les jours deux périodes spéciales de dépression, une heure le matin et une heure le soir — *vous n'essaieriez pas de courir un marathon avec une jambe cassée.* Cela vous permettra d'avoir un meilleur contrôle sur votre vie... et chassera un peu votre cafard. Faites-le même si vous ne pensez pas en avoir besoin. Cela vous donnera la possibilité de déprimer à des moments spécifiques plutôt que de déprimer constamment.

Allez-y — regardez des téléromans, écoutez des chansons mélancoliques (vous remarquerez que la plupart d'entre elles le *sont*), lisez ou écrivez des poèmes tristes. Et pleurez, pleurez, pleurez...

ALLEZ À VOS PROPRES FUNÉRAILLES

Nous avons tous désiré savoir ce que les autres penseraient de nous après notre mort. Voici votre chance. C'est aussi une extraordinaire opportunité pour définir vos priorités, briser vos résistances à l'intimité et sauver votre amour.

Peu importe les sensations désagréables qu'un couple puisse ressentir au départ, je n'en ai jamais vu qui soit capable de supporter ces circonstances sans être remué (conservez des mouchoirs à portée de la main). Cette réaction vous force à affronter la réalité de ce que vous avez fait et de ce que vous allez faire. L'exercice démontre simplement ce qui est «à risques» et souligne le peu de valeur que vous accordiez à quelque chose avant de le perdre.

Jouer aux funérailles favorisera la remontée de votre moral si vous décidez de travailler sur votre relation de couple ou d'y mettre fin, et aidera un partenaire infidèle à choisir entre deux amours. Pratiquement tout le monde opte pour rester après avoir réalisé combien son partenaire et l'avenir avec lui vont leur manquer. Même si vous vous décidez à vous séparer, cet exercice vous aidera à pardonner, ce qui est une attitude déterminante pour la santé affective.

1. Le partenaire trompé s'allonge et fait semblant d'être mort. Il ferme les yeux et reste silencieux.
2. Le partenaire adultère s'approche pour lui dire un dernier adieu. Il dit ce qui lui *manquera* le moins après le départ de son cher disparu — les querelles cinglantes, la culpabilité, le ressentiment, la sensation d'être pris au piège.
3. Ensuite, il explique ce qui leur *manquera* à tous deux: les joyeux déjeuners aux crêpes du dimanche matin, la com-

plicité sexuelle, la naissance du premier enfant, les promenades dans les bois à l'automne.

4. Puis celui qui pleure la perte de l'autre exprime sa tristesse envers les espoirs et les rêves qui ne se réaliseront jamais: la croisière autour du monde, la remise de diplôme universitaire de leur fille, la vieillesse passée ensemble.
5. Il exprime ses regrets pour la liaison adultère et la douleur qu'elle a provoquée. Par exemple: «Regarde ce que je t'ai fait à toi et aux enfants. J'ai bouleversé nos vies et aujourd'hui tu es parti.»
6. Pour finir, il dit adieu à son partenaire en l'embrassant. En fermant les yeux, il visualise la personne disparue à jamais. (À ce stade, si l'amour est demeuré, il va probablement pleurer ouvertement.)

Attendez au moins une journée avant d'inverser les rôles pour que les deux partenaires aient le temps de vivre leurs violentes émotions. D'habitude, ils sont dépassés par la force de leur amour qui a persisté quelle que soit leur colère. *Remarque:* Souvent, le partenaire adultère rompt alors sa liaison et le partenaire trompé devient fuyard et plus aimé. Par ailleurs, s'ils se séparent, ils parviennent à le faire avec dignité et peuvent avoir un avenir avec un autre partenaire.

IMAGINEZ LE RIVAL À LA PLACE DU CADAVRE

Dans une variante de l'exercice des funérailles, le partenaire adultère dit adieu à l'amant ou la maîtresse.

Cet exercice ne doit *jamais* être effectué devant le partenaire trompé. L'infidèle ne serait pas en mesure de pleurer la perte honnêtement, et l'autre se sentira trop concerné pour tolérer l'éloge du rival (et ne devrait pas le tolérer).

Si le rival ne souhaite pas participer, le partenaire adultère devra faire l'exercice avec un remplaçant — un ami, un membre de la famille ou le thérapeute. (Là encore, le parent le plus éloigné convient le mieux.)

Le sujet témoigne au rival mort son regret de ne pas pouvoir lui dire adieu, en faisant l'énumération des aspects positifs et négatifs de la relation qu'ils avaient ensemble. Sans la permission du rival, il lui est pratiquement impossible de revenir au partenaire trompé et de lui assurer l'amour et le pardon. Cet exercice diminue la communication entre le rival et le partenaire adultère après la fin de leur relation.

Même si cela devient un monument à la mémoire de la séparation du partenaire adultère et du rival — comme cela se produit souvent —, les deux parties sont capables de se séparer avec dignité et de guérir beaucoup plus rapidement pour pouvoir commencer une liaison avec quelqu'un d'autre.

Il est fortement recommandé de faire appel à un thérapeute expérimenté pour cet exercice si le partenaire adultère a toujours un fort désir de revenir avec le partenaire trompé et n'y parvient pas.

EXAMEN PERSONNEL

Les deux partenaires tracent leurs «génogrammes» avec leurs parents (voir page 56), discutent des modèles qui se dessinent et de la manière dont ils ont construit leur propre relation de couple. Souvenez-vous que **vous ne cherchez pas à faire porter le blâme sur vos parents, mais à comprendre les facteurs qui ont créé votre vide intérieur et le leur.** Cela vous aidera à renforcer le lien qui existe entre vous et à désamorcer vos conflits. Vous pouvez aussi tracer les modèles de pardon et de rancune dans votre famille.

Il faut pouvoir examiner un modèle pour parvenir à le modifier.

ALLUMEZ UN CIERGE

Comme de nombreuses religions utilisent ce moyen pour se souvenir d'un mort, vous pouvez tous deux en allumer un à la mémoire de votre ancienne relation de couple. Éteignez-le, puis allumez-en un autre pour marquer le début de votre nouvelle vie commune.

PENSEZ À VOUS

Pour les partenaires adultères

- Imaginez trois fois par jour votre amant ou votre maîtresse vieux ou vieille, décrépi ou grincheux.

- Après un mois, ne l'imaginez que une fois par jour et uniquement en termes négatifs.
- Pensez que votre mari ou votre femme est mort — comment vous sentiriez-vous?

Pour les deux partenaires

- Lorsque vous êtes séparés, ayez trois fois par jour des pensées positives l'un pour l'autre.
- Regardez-vous profondément dans les yeux une fois par jour pendant 30 secondes sans parler.
- Comblez deux fois par jour votre partenaire de compliments et de mots tendres pour contrebalancer les tensions et l'hostilité. C'est assez difficile à faire, mais c'est indispensable.

FAITES-VOUS DES PROMESSES

Promettez-vous mutuellement fidélité une fois par semaine.

AYEZ UN JOUR DE PÉNITENCE

Prenez contact avec votre culpabilité. **Les deux parties en éprouvent.** Consignez-la par écrit. Partagez cette confession avec votre partenaire. Faites pénitence — mais pas pour toujours.

Effectuez une corvée que vous vous étiez promis de faire, mais que vous avez retardée, surtout si elle comporte un grand effort physique comme le décapage des planchers ou des murs. Vous vous sentirez nettoyé par cet effort.

AYEZ UN JOUR DE PLAISIR

Essayez de vous remettre de la tension que vous avez certainement éprouvée en effectuant tout ce qui vous fait vous sentir choyé. Faites-vous faire une manucure, une pédicure, une coiffure ou une coupe, un massage. Achetez un contenant de framboises et mangez-les toutes. Les hommes peuvent vouloir faire du sport ou acheter un nouveau système de son ou un nouvel ordinateur.

Demandez à votre partenaire de vous faire une faveur — peut-être de vous faire lui-même un massage.

CÂLINEZ-VOUS

Câlinez-vous deux fois par jour pendant 5 à 15 minutes. **Serrez-vous mutuellement dans les bras toutes les fois que vous vous sentez en colère ou plein de ressentiment.**

PRENEZ LE TEMPS

Vous sentirez que vous êtes prêt à pardonner lorsque le moment sera venu. Ne vous forcez pas. Continuez à effectuer les exercices de colère et de pleurs de votre perte avec votre partenaire et vos parents toutes les fois qu'ils sont utiles. Souvenez-vous qu'**il est important d'avancer — mais pas trop vite pour ne pas ressentir ces émotions destructrices.**

Chapitre 12

Préparez votre pardon

Des souvenirs destructeurs risquent de persister longtemps après le départ d'un amant ou d'une maîtresse. Les deux partenaires peuvent alors entretenir leur conflit et nourrir leurs obsessions.

Marie-Hélène, par exemple, était beaucoup plus fascinée par Anne, l'ancienne maîtresse de son mari Roger, que *lui*. Longtemps après la fin de sa liaison avec elle, Marie-Hélène le pressait de lui donner des détails croustillants. «Combien de fois lui faisais-tu l'amour? Qu'aimait-elle te faire? Comment trouvais-tu ça?»

Il était piégé. S'il ne répondait pas, elle continuait à le questionner. S'il répondait, elle devenait hystérique et se mettait en colère. Le cercle vicieux tournait sans fin. Plus elle exigeait d'attention et plus il protégeait sa maîtresse; plus il se comportait ainsi, et plus Marie-Hélène se sentait mal — et avait besoin d'attention.

L'insécurité de Marie-Hélène et son besoin constant de reconfort étaient toutefois compréhensibles: sa mère s'était vengée de son mari en ayant une liaison, en mentant et en la laissant souvent seule lorsqu'elle était enfant. Elle n'avait jamais donné d'affection à la fillette. L'obsession de Marie-Hélène avait ruiné les chances de réconciliation de son couple — jusqu'à ce que je fasse effectuer aux deux partenaires des exercices qui leur permettent de dépasser ce stade.

Elle devait reconnaître qu'elle avait contribué au déclin de sa relation de couple: elle avait grossi de 18 kilos après la naissance de ses deux enfants et passait beaucoup de temps à s'occuper de leur éducation. Peu consciente de sa valeur personnelle, elle ne fixait aucune limite à Roger qui allait et venait comme il l'entendait sans s'impliquer comme père.

Elle a fini par agir et dire à son mari qu'elle savait qu'il aimait encore sa maîtresse mais que, pour sauvegarder son couple, il devait cesser sa liaison avec elle. Ce qu'il fit. En fixant des limites à Roger, Marie-Hélène a permis à la confiance qu'il avait en elle d'augmenter. En les respectant, Roger a pu progressivement faire retrouver à Marie-Hélène la confiance qu'elle avait en lui. **Il est aussi difficile de contrôler des partenaires adultères que des alcooliques, mais il est toujours possible de leur fixer des modèles de comportement.**

Marie-Hélène a pu maîtriser son obsession et faire diminuer ses doutes envahissants. Finissant par faire la paix avec sa mère, elle a pu obtenir d'elle une grande partie du réconfort dont elle avait besoin.

Marie-Hélène ayant suspendu la pression qu'elle mettait sur Roger, il a cessé d'être infidèle et insouciant et ils ont pu ensemble préparer leur pardon.

DEUXIÈME CHANCE

Les Nord-Américains sont généreux, mais ils pardonnent difficilement. «*J'ai ma fierté*», affirment-ils. Ou «*Elle ne l'a pas mérité!*»

«*Il doit payer.*»

«*Elle ne s'en tirera pas aussi facilement!*»

Je ne pense pas que le pardon soit quelque chose que nous accordions à autrui.

Je crois plutôt que:

Le pardon est un cadeau que nous nous faisons à nous-mêmes.

Nous ne parvenons à maîtriser notre colère, notre amertume et notre dépression qu'après avoir pardonné au partenaire fautif; nous sommes alors dénués d'espoir et d'optimisme. **Le blâme**

est une tentative de contrôle de la situation, mais il nous immobilise. Ce n'est qu'après nous être réconciliés que nous pouvons redémarrer.

Si vous parvenez à considérer le contre-coup de l'adultère comme une deuxième chance de régler les problèmes irrésolus de votre enfance, vous pourrez, vous et votre couple, vous retrouver en bien meilleur état qu'auparavant.

Votre capacité à pardonner dépend de la facilité avec laquelle vous avez assumé votre désaccord, votre colère, votre perte et votre culpabilité.

Enfant, vous étiez enfermé dans une relation triangulaire entre votre père et votre mère. *Si vous aviez des frères et sœurs, vous aviez aussi des relations triangulaires avec chacun d'eux.* Vous étiez toujours en concurrence avec eux à la maison et à l'école. Si l'on vous refusait l'entrée dans une équipe à l'école, vous étiez certainement accablé et malheureux.

Une liaison réintroduit la relation triangulaire, la concurrence et la trahison. Votre propre estime de soi peut être détruite si votre partenaire choisit une autre personne que vous. Votre ancienne sécurité (d'avoir été numéro un) risque de subir un recul.

En les abordant correctement, vous pouvez toutefois résoudre les problèmes avec lesquels vous vous êtes battu toute votre vie. Vous devez apprendre à reconnaître l'enfant blessé qui est en votre partenaire et en chacun de vos parents comme en vous-même. Vous devez reconnaître les modèles hérités de vos parents et apprendre à pardonner leurs erreurs et les blessures qu'ils vous ont accidentellement infligées. Je trouve que les partenaires adultères changent plus que les partenaires trompés, mais il faut que ces derniers dépassent leur amertume et changent aussi.

Le pardon est possible dans les deux sens. On peut aussi bien le demander que l'offrir.

Il faut passer par les sept étapes suivantes pour atteindre cet état de pardon au-delà du blâme et de la honte. Si vous n'y parvenez pas, revenez aux exercices sur la colère ou le chagrin jusqu'à ce que vous vous sentiez prêt à avancer. *Demandez et redemandez de l'aide à vos parents, à vos grands-parents, à vos frères et sœurs, ainsi qu'à votre partenaire.*

Oubliez votre obsession à propos de la liaison même si c'est difficile de vous laisser aller. Ce n'est qu'une manière de mettre quelqu'un ou quelque chose entre vous et votre partenaire, d'éviter l'intimité et de cacher vos véritables problèmes.

Ouvrez mutuellement vos cœurs. Vous devez parler de la liaison et d'autres secrets douloureux. Parlez de vos peurs et de vos besoins d'enfant, ainsi que de votre vide intérieur.

Rebâtissez la confiance. Pour y parvenir, le partenaire adultère ne doit pas avoir de contact avec son amant ou sa maîtresse. Agissez honnêtement, utilisez positivement vos conflits, partagez vos expériences avec votre partenaire et faites des confidences. Vous aurez des doutes. Parlez-en, ne faites pas de fixation sur eux.

Recommencez à aller au-devant de l'autre. Retrouvez votre sens de la fête, votre spontanéité et votre désir de vous faire mutuellement plaisir. Souvenez-vous de vos traits de personnalité attirants et cultivez-les.

Favorisez l'intimité. Pratiquez un nouveau mode de communication ouvert, franc et entier. Ne laissez pas votre travail, vos enfants, votre belle-famille ou n'importe quoi d'autre se glisser entre vous. Ne critiquez pas votre partenaire lorsqu'il est franc et honnête — appréciez au contraire ces qualités. Rendez la communication agréable.

Valorisez la fidélité. Discutez de vos limites acceptables comme dans le chapitre 7. Refaites régulièrement un contrat oral entre vous deux ou même rédigez-en un sur le modèle de la page 180.

Favorisez les embrassades. Du câlin rapide jusqu'au bercement prolongé du chapitre précédent, le contact et les caresses vous faciliteront le passage de l'obstacle le plus difficile: la guérison de la sexualité. Ceux et celles qui ont des liaisons recherchent le plaisir sexuel. Pourquoi n'en feriez-vous pas autant?

SOYEZ GENTIL AVEC VOUS-MÊME

La plupart d'entre nous ont de profondes failles et déchirures datant de l'enfance dans l'armure de leur estime de soi. Il est difficile de pardonner à autrui lorsqu'on est en colère et déçu par soi-même. Comme Marie-Hélène, un grand nombre d'entre nous ont l'impression qu'ils ne méritent pas la fidélité et le bonheur.

Aussi, avant de penser à autrui, envisagez les choses suivantes.

ÉTAPES PRATIQUES VERS LE PARDON

Pardonnez-vous à vous-même

1) *Rédigez un message.*

- Écrivez «Je me pardonne à moi-même pour le rôle que j'ai joué dans la relation adultère».
- Écrivez le même message pour votre partenaire, vos parents et votre amant ou votre maîtresse. Tout en le faisant, considérez ces personnes comme des enfants blessés.
- Écrivez «Je me pardonne d'avoir haï un de mes parents et d'avoir tenu l'autre à l'écart».
- Écrivez «Je pardonne mon parent de m'avoir négligé ou trahi à cause de son propre vide intérieur».

Lisez trois fois les messages à voix haute.

2) *Apprenez à vous aimer vous-même.*

Regardez-vous dans le miroir tous les matins et déclarez votre valeur. Soyez convaincant!

Dites «Je mérite d'être aimé».

- Déclarez les cinq meilleures choses que vous connaissez de vous-même à votre image dans le miroir et demandez-vous «Pourquoi voudrait-on me quitter?».
- Exagérez les signes encourageants en disant, par exemple, «Je peux régler cela et je le ferai» et «Je mérite le bonheur».

Effectuez ces exercices en vous levant le matin et juste avant de vous coucher. Ne soyez pas gêné s'ils vous semblent superficiels — vous sentirez rapidement l'effet des mots au fond de vous. **Ces exercices sont vraiment efficaces.**

3) *Ensevelissez votre obsession.*

Comme nous l'avons vu, le partenaire trompé est parfois tellement obsédé et fasciné par la vilenie de l'autre qu'il ne trouve pas le temps ni l'énergie de pardonner. Il s'agit d'une échappatoire; en se dissimulant sous l'état de victime, il n'a pas à affronter ce qui ne va pas.

Dans le cas de Marie-Hélène et de Roger, j'ai fait appel à la magie du vaudou pour leur apprendre cet exercice symbolique — afin que leur couple survive.

Marie-Hélène avait découvert la liaison de Roger en trouvant un chandail d'Anne sous le lit. Je lui ai alors fait envelopper une vieille poupée — représentant Anne — et lui ai fait l'enterrer dans la cour. Toutes les fois qu'elle était sur le point de repenser à sa rivale et à la trahison, elle allait sur la «tombe» et méditait sur le fait que la liaison était *TERMINÉE* et que c'était elle que Roger avait choisie.

Essayez quelque chose de semblable. Si vous vivez en ville et que vous ne disposez pas d'une cour — ou que vous ne voulez pas être vu —, brûlez une photo de l'amant ou de la maîtresse de votre partenaire ou une de ses lettres que vous avez pu trouver. Quelle que soit la méthode utilisée, dites-vous que vous vous débarrassez une fois pour toutes de ce souvenir désagréable.

Pardonnez à votre partenaire

1) *Faites une liste de souhaits.*

Complétez les points 3 à 10 de la liste des désirs de changement de comportement de la page 140.

Soyez aussi spécifique que possible. Au lieu d'inscrire «Ne sois pas distant», inscrivez «Dis-moi lorsque ton amant ou ta maîtresse t'appelle. Je sens qu'ainsi tu ne me tromperas pas. Fixe des limites et dis-lui que tu ne veux pas le ou la voir.»

Échangez vos listes et lisez-les attentivement. Sélectionnez au moins trois de ces changements. Ne vous disputez pas ou ne vous engagez pas dans une lutte de pouvoir. Il s'agit d'un choix non négociable et non d'un troc.

Souvenez-vous que ces changements amélioreront votre crédibilité — et pourront aussi vous faire changer pour le mieux. Plus vous en ferez et plus la confiance grandira entre vous; c'est votre chance d'apprendre à donner.

ÉCHANGE DE MARQUES D'AFFECTION

Chaque partenaire devrait faire une liste des 20 marques d'affection qui le feraient se sentir apprécié. Ajoutez-y celles que votre partenaire vous fait déjà et celles que vous aimeriez qu'il vous fasse. Certaines risquent de vous paraître superficielles, mais elles peuvent sauver votre relation de couple.

EXEMPLES:

- Appeler tous les jours du bureau pour dire «Je t'aime».
- Revenir à la maison avec des fleurs sans que ce soit une occasion spéciale.
- Se souvenir de votre anniversaire.

- Vous lever plus tôt pour préparer un déjeuner spécial.
- Vous offrir une carte de souhaits sans raison particulière.
- Vous faire un massage du dos.
- Lorsque le partenaire est malade ou déprimé, louer des vidéos qu'il adore et que vous n'aimez pas.
- Vous rappeler de son parfum ou de son eau de toilette et lui en offrir sans raison particulière.
- Préparer un pique-nique spécial et le lui apporter au bureau pour aller le manger ensemble lorsqu'il fait beau.
- Regarder des événements sportifs à la télévision en sa compagnie.

2) *Définissez vos limites.*

(Veiller à ne pas mal les employer sous peine d'interruption de la communication.)

Faites une liste de ce que vous ne pouvez ou ne voulez pas supporter que votre partenaire fasse. *Cette liste n'est pas négociable.* Assurez-vous d'y mentionner le flirt si cela vous gêne; comme nous l'avons vu au chapitre 7, les seules limites acceptables sont celles que vous définissez honnêtement. Exemple: «Cesse de voir ton amant ou ta maîtresse ou notre relation de couple est terminée» ou «Ton amant ou ta maîtresse doit cesser de téléphoner à la maison ou je pars».

3) *Rédigez un contrat de fidélité.*

Écrivez vos limites dans un contrat formel, comme Charles et Marthe que nous avons rencontrés au chapitre premier l'ont fait. *Le meilleur moment pour le rédiger se situe avant de vivre ensemble, mais il n'est jamais trop tard.*

Ils étaient tous deux des enfants blessés par l'adultère devenus adultes et ils formaient le couple le plus glacialement poli que j'ai jamais rencontré. À un moment, après que Charles, un pasteur, se fut enfui avec la meilleure amie de Marthe, je les ai pressés de rédiger des listes de leurs griefs mutuels.

Celle de Charles était très longue. «Elle n'est jamais venue m'écouter prêcher le dimanche. Elle n'est jamais venue m'écouter lorsque je jouais dans un orchestre de musique de chambre. La maison n'est pas correctement tenue.»

Il n'en avait jamais parlé à Marthe, dont la liste de griefs était pratiquement inexistante. Elle excusait tout, elle ne voulait pas fixer de limites — elle a failli me rendre folle à la place!

Elle a toutefois fini par le laisser partir avec sa maîtresse, a pleuré sa perte et a repris sa vie. Charles s'est toutefois comporté comme un fuyard classique qui, après un an, désirait revenir avec elle.

Après de longues réflexions, Marthe l'a laissé revenir... à condition qu'il signe un contrat. Il comprenait que s'il était de nouveau infidèle, elle ne le reprendrait plus.

Exemples de contrat*

Pour le partenaire adultère

Je, ____________, jure que j'abandonne tout droit de t'avoir comme partenaire si j'ai une nouvelle relation adultère. Il n'y aura pas de sursis, de discussion ni de deuxième chance.

En cas de besoins incontrôlables, j'aurai recours à mon thérapeute et à mon partenaire pour leur résister au lieu de les assouvir. Je jure de travailler sur ma relation de couple à laquelle j'attache une grande valeur plutôt que d'être infidèle.

Signé, ____________

(nom et prénom du partenaire infidèle)

Pour le partenaire trompé

Je, ____________, reconnais que si mon partenaire m'est infidèle, je n'accepterai aucune excuse ni promesse de changement. Il n'y aura plus de deuxième chance. Notre relation de couple prendra fin par un divorce. Toutefois, je ne porterai pas de jugement et ne ferai pas de critiques s'il parle de son désir d'adultère. Comprenant que cela représente un grand changement dans son comportement, et auquel je risque d'avoir contribué, je ferai tout mon possible pour reconnaître ma responsabilité, l'aider et sauvegarder notre relation de couple.

Signé ____________

(nom et prénom du partenaire trompé)

* Ces exemples de contrat sont destinés à quelqu'un qui a eu plusieurs liaisons. Le choix des mots peut être différent pour chaque situation. Relisez et rediscutez souvent votre contrat de fidélité.

Pardonner à ses parents

Comme je l'ai déjà souligné, je pense qu'il est impératif de reprendre contact avec vos parents si vous voulez reconstruire votre relation de couple.

La colère s'apaise lorsque vous parvenez à voir la personne infidèle comme un enfant blessé, surtout lorsque c'est l'un de vos parents. Bien que j'ai accumulé beaucoup d'hostilité envers mon père, celle-ci a disparu lorsque je l'ai vu fondre en larmes dans le bureau du docteur Fogarty. Pour la première fois, il n'était plus mon ennemi. Ma mère et moi étions néanmoins incapables de lui pardonner. «*Elle doit apprendre à pardonner son père aussi,* a dit le docteur Fogarty à ma mère. Si vous ne jetez pas un pont entre vous et vos pères respectifs, vous ne pourrez jamais faire totalement confiance ni aimer.»

Progressivement, ma mère et moi avons commencé à réaliser que nous avions isolé mon père pendant des années pour le punir d'être infidèle. Cet isolement n'a, bien entendu, fait que l'encourager à chercher de l'amour ailleurs. **Il avait lui aussi besoin de se rapprocher de sa mère qui l'avait blessé.**

Mon père n'avait jamais oublié que je lui avais dit le haïr après une séance de psychanalyse. Ces mots l'avaient blessé profondément, surtout parce qu'il se haïssait aussi pour ce qu'il avait fait de mal. Lorsque nous avons commencé à nous parler franchement, je lui ai demandé de pardonner les mots qui l'avaient blessé pendant si longtemps.

Considérez vos parents comme des alliés dans la bataille pour lutter contre votre vide intérieur et améliorer votre relation de couple. Ils sont très bien placés pour vous soutenir.

Qu'advient-il des parents «toxiques»?

Je ne veux surtout pas défendre ici l'idée que vous puissiez perdre du temps avec un de vos parents qui vous a maltraité pendant votre enfance. Vous devez, toutefois, être capable de calmer partiellement votre douleur en le rencontrant d'abord dans un environnement sûr et surveillé ou en prenant contact par lettre ou par téléphone. N'espérez pas d'intimité, qui est une relation intense et demande des années d'efforts, mais vous pouvez vous attendre à un bon contact.

Mes clients jugent parfois mal des thérapeutes qui leur conseillent de couper toute relation et de rejeter le parent qui les a blessés pour ne pas avoir à raviver leur douleur. Je ne suis pas d'accord. Ne pas voir ce parent ne signifie pas ne plus y penser, et le vide intérieur est trop éprouvant pour être supporté seul. Pour vraiment vous guérir, vous avez besoin de le partager, si possible, avec ce parent ou votre partenaire.

Dans certains cas, vous pouvez découvrir que vous vous êtes trompé pendant des années à son sujet.

Une de mes clientes avait été élevée par une mère qui haïssait son mari divorcé, supposé coupable d'adultère.

Quand elle m'a consultée parce qu'elle rencontrait toujours des hommes mariés, je lui ai vivement conseillé de m'amener son père. Ils ne s'étaient pas parlé depuis vingt ans.

Après l'avoir fait, elle a découvert qu'il n'avait jamais vraiment voulu partir. Il insistait sur le fait que sa liaison avec une de ses collègues était purement affective. Il s'était senti isolé dans son couple parce que sa femme était égoïste, mais il ne l'avait jamais trompé. Pendant ce temps, il avait regretté tous les jours de ne pas voir sa fille.

Elle lui a pardonné et, avec son aide, elle apprend à faire confiance à d'autres hommes.

REPRISE DE CONTACT AVEC DES PARENTS DISTANTS

Pour pouvoir les atteindre et les toucher:

1. Écrivez une lettre honnête à chacun d'eux. Vous n'êtes pas obligé de leur envoyer, mais vous devez les lire à votre partenaire. Parlez des actions que vous auriez souhaité leur voir faire différemment pendant votre enfance. Parlez aussi de vos expériences positives et demandez-leur pardon.

2. Écrivez vous-même les lettres que vous auriez aimé qu'ils vous écrivent. Ces lettres demandent le pardon.

3. Organisez une sortie avec le parent qui vous met le plus en colère ou est le plus distant. Arrangez-vous pour qu'elle soit brève — ne lui faites pas encore de confidences à cœur ouvert. Assurez-vous l'autorisation de votre autre parent. Restez en contact avec lui et tenez-le au courant de ce qui se passe.

Trouvez quelque chose qu'il aime. Ne faites pas comme je l'ai fait et ne traînez pas votre père dans des soirées ou des musées. J'étais heureuse, mais il s'ennuyait jusqu'à ce que je comprenne et commence à l'emmener voir ce qu'il préférait: des parties de quilles et des événements sportifs.

Ne l'affrontez pas — cultivez simplement les liens de famille.

4. Si vous sentez qu'aucun de vous deux n'est capable de maîtriser la situation, dites à votre parent que vous avez des dif-

ficultés avec votre partenaire en raison de certains problèmes non résolus de votre enfance. Ne le blâmez pas. Communiquez plutôt avec lui d'une manière significative et demandez-lui de vous aider à résoudre votre problème. Flattez-le et dites-lui qu'il a fait de son mieux dans les circonstances. Après avoir établi un bon contact après plusieurs rencontres, emmenez votre partenaire avec vous pour qu'ils puissent tous deux participer au processus de guérison et de pardon.

5. Tracez un «génogramme» avec eux. Demandez à votre parent s'il y a des cas d'adultère dans la famille, d'autres genres de trahison, des abandons ou des rancunes. Insistez sur le fait que ce n'est pas la honte ni la critique qui vous fait agir, mais le désir de guérir ses blessures et les vôtres.

6. Si votre parent est mort, allez au cimetière ou dans un des lieux qu'il préférait et méditez. Écrivez vos sentiments dans une lettre et lisez-la à voix haute. Dites à votre parent que vous avez des difficultés à cause des cicatrices affectives qui se sont formées en grandissant, puis demandez-lui son aide. Pardonnez-lui et demandez-lui de vous pardonner.

Lisez cette lettre à votre partenaire et à votre parent survivant ou, si vos deux parents sont morts, à l'un des parents de votre partenaire.

7. Faites l'exercice d'embrassade de la page 140 avec le parent dont vous étiez le plus éloigné. Pour ce faire, emmenez occasionnellement votre partenaire avec vous.

Vous ne pouvez pas obtenir ce dont vous avez besoin d'un partenaire ni le lui donner tant que vous n'avez pas réglé ces problèmes avec vos parents. Il s'avère souvent que ce contact est ce que le parent adultère a toujours cherché avec ses amants ou maîtresses... sans jamais le trouver.

Pour finir, PASSEZ À AUTRE CHOSE. Comme je l'ai dit, c'est une attitude destructrice de rester bloqué sur l'adultère ou de se complaire dans des récriminations.

AYEZ DU PLAISIR

De nombreux couples ont oublié la manière de s'apprécier mutuellement. Ils résistent, se sentent coupables et ont beaucoup de difficulté à avoir du plaisir.

Nous sommes trop vieux pour ça», disent-ils.

Ou «Je ne peux me séparer de mon travail ou de mes enfants». Ou encore, «N'aurons-nous pas l'air idiots?».

Vous devez cependant redécouvrir votre joie de vivre enfantine pour pouvoir régénérer votre couple.

Rédigez ensemble la liste des choses que vous aviez l'habitude de faire ou que vous avez toujours voulu faire, ainsi que celles que vous aimiez tous deux lorsque vous étiez enfants. Cette liste en comportera souvent plusieurs que le partenaire adultère faisait avec son amant ou sa maîtresse. Et alors? Il vaut mieux que ce soit avec vous qu'avec eux.

Essayez d'en trouver au moins cinq. Faites-en une priorité. **Souvenez-vous que le plaisir est important lorsque vient le temps de la régénération.** Structurez votre temps. Décidez que, chaque semaine, le lundi ou le vendredi, vous aurez un rendez-vous agréable.

- Allez faire du patin à glace ou à roulettes.
- Prenez des leçons de danse.
- Allez faire du canot.
- Allez au restaurant ou pique-niquez ensemble toutes les semaines.
- Allez écouter un concert et tenez-vous la main.
- Faites une fondue au chocolat avec des fraises.

RÉSERVEZ-VOUS DES SURPRISES

Faites une liste comparable, mais gardez-la secrète. Consultez-la une ou deux fois par semaine.

Chaque partenaire devrait essayer d'apprécier tout ce qui se présente et de s'amuser. **C'est étonnamment difficile pour des partenaires d'accepter ces conversations sur l'amour. Ne critiquez pas les choix ou ne dites pas «Je n'ai pas besoin de ça».**

- Demandez à votre partenaire un rendez-vous sous l'impulsion du moment.
- «Kidnappez-le» pour une fin de semaine ou même une semaine. Venez le prendre après son travail avec une valise toute prête.
- Glissez quelques biscuits «maison» dans sa serviette.

MURMUREZ-LUI DES MOTS DOUX

Appelez votre partenaire deux fois par jour pendant 30 secondes pour lui dire de petites choses positives. «J'aime la manière dont tes cheveux tombent dans tes yeux ou dont tu ris.» «C'était un délicieux souper que tu as fait hier soir.» Beaucoup de Nord-Américains ont de la difficulté avec cet exercice. Ne soyez pas avare de mots. Vous pouvez certainement trouver quelque chose de positif à dire — sur la manière dont il marche, conduit ou fait autre chose. Tout cela permet d'annuler son éventuel ressentiment. C'est un pas de géant sur le chemin du pardon.

RAVIVEZ LA FLAMME

Il vous faut maintenant réchauffer la température de vos relations physiques. (**Attention:** Les fuyards peuvent se sentir mal à l'aise et risquent d'essayer de saboter vos efforts. Insistez.)

- Costumez-vous, si c'est quelque chose qui fait fantasmer en secret l'un de vous deux.
- Flirtez à l'arrière de votre voiture.
- Allez dans un motel dont les chambres comportent un lit d'eau et une baignoire à remous, et regardez des vidéos érotiques.
- Essayez de nouvelles positions amoureuses, des gadgets érotiques... ou tout ce que vous ne trouvez pas répugnant.
- Essayez ce «truc» éprouvé: prenez ensemble un bain moussant à la lumière de chandelles.

Avertissement: Comme vous vous en souvenez, vous évitez tous deux l'intimité. Faites donc attention car vous risquez de devenir des fuyards en ravivant la flamme.

RENVERSEZ LES RÔLES

Pour donner au partenaire trompé la sensation d'avoir retrouvé le contrôle de sa relation de couple, laissez-lui organiser une fin de semaine ou une soirée de distraction et amusez-vous selon ses suggestions. L'autre partenaire promet alors d'effectuer tout ce qui lui est suggéré.

Renversez les rôles le lendemain pour que votre partenaire ait aussi une sensation de pouvoir.

Les protestations ne sont pas admises. S'il s'agit d'une partie de base-ball alors que vous haïssez ce jeu, essayez de respecter le plaisir de votre partenaire. Apportez un journal, allez chercher des quantités de rafraîchissements ou réfugiez-vous simplement dans la contemplation silencieuse. Tout sentiment de culpabilité est interdit. Participez, intéressez-vous, appréciez! Ce sera votre tour demain.

ORGANISEZ DES DISCUSSIONS AU COIN DU FEU

Quoique vous soyez rassuré, une certaine douleur persiste certainement. Prenez un rendez-vous pour en parler pendant un temps déterminé avec votre partenaire et vos parents, en groupe et individuellement. Allez d'abord lentement avant que la confiance soit revenue. Câlinez-vous mutuellement, parlez de votre peur d'être abandonné au lieu de porter des accusations. **Reliez vos peurs d'aujourd'hui à vos blessures d'hier.**

Commencez d'abord par le faire tous les jours, puis toutes les semaines, et enfin tous les mois lorsque le pardon est plus facile.

Le pardon doit être renouvelé pour rester vivant... tout comme les relations de couple.

Le contact guérisseur de Bernard et de Josette

Le cas de Bernard et de Josette est une bonne illustration de l'effet guérisseur du contact physique et de la discussion. À leur manière, ils s'aimaient tendrement, mais n'avaient pas fait l'amour depuis dix ans — vous lisez bien, dix ans.

Si l'on en juge par ses immenses changements d'humeur, Josette, libraire et mère de quatre enfants, souffrait d'une névrose maniaco-dépressive non diagnostiquée. Bernard, journaliste, cherchait refuge dans les bras d'autres femmes pour oublier cette affection; en sept ans, il avait eu six liaisons avec des femmes qu'il avait rencontrées à son travail.

Notre tâche était écrasante, mais nous nous y sommes attelés et nous avons avancé lentement. Josette fut d'accord pour consulter un psychiatre et prendre des médicaments. Elle a fini par parler de son angoisse d'avoir perdu son père à trois ans. Pour compliquer encore les choses, sa mère était sourde et incapable de communiquer correctement. Dans leur cas, leurs quatre parents étaient morts.

J'ai demandé au couple de faire l'exercice d'embrassade de la page 140, deux fois par semaine au début, puis deux fois par jour ensuite. Josette devait dire à Bernard comment elle aurait voulu être encore avec son père et combien ce dernier l'avait aimée. Bernard l'a aidée, réconfortée et couverte de compliments en la tenant sur ses genoux et en lui disant «Je t'aime, tu es tellement spéciale».

Bernard avait été distant et réservé, composant avec sa douleur et sa peur de tout. Avec leurs étreintes quotidiennes, ils ont commencé à s'attacher. Il se guérissait aussi lui-même et apprenait à devenir aussi affectueux qu'il avait toujours souhaité l'être.

Lentement, leurs sensations sexuelles ont commencé à revenir.

Il n'y a pas si longtemps, j'ai reçu une carte de leur part. C'était leur 30e anniversaire, disait-elle, et ils voulaient tous deux me remercier — ils ne s'étaient jamais sentis aussi près l'un de l'autre.

Chapitre 13

Guérison de la sexualité

La plupart des couples entrent dans la période la plus traître du chemin de la réconciliation APRÈS la fin de la liaison.

Intellectuellement, les partenaires peuvent tous deux comprendre que l'amant ou la maîtresse est parti mais, affectivement et sexuellement, ils ne parviennent pas à l'oublier.

Il en était ainsi avec Georges et Arielle. Cette dernière a découvert par hasard l'existence de la relation adultère de son partenaire: elle a trouvé un sous-vêtement en dentelles qui n'était pas le *sien* sous leur lit.

Elle l'a dit à Georges et ce dernier a reconnu les faits. Mais des mois et même des années après la fin de la liaison, cette découverte obsédait Arielle.

«Je ne peux pas supporter que tu me touches, lui disait-elle. J'ai un mouvement de recul toutes les fois que je sens tes mains sur mes cheveux ou mon visage.» C'était déjà assez triste qu'il ait fait l'amour avec une autre femme, pensait-elle, mais le fait que cela se soit passé dans le lit conjugal rendait la situation insupportable.

GUÉRISON DE LA SEXUALITÉ

Il s'agit souvent de la partie la plus délicate du pardon et celle dont il est le plus difficile à parler. Si nous ne nous en rendons pas compte, nous résistons à la sexualité pour éviter l'intimité.

C'est dans notre sexualité que nous sommes le plus vulnérables. Certains d'entre nous avaient des problèmes de sexualité avant l'adultère — bien que nous ayons déjà vu qu'il s'agissait rarement de la seule raison.

Mais, même si la vie sexuelle était bonne, un grand nombre d'entre nous ne peuvent tout simplement pas cesser de rejouer les anciens scénarios. Nous n'arrivons pas à nous débarrasser du frisson malsain de «nos nuits avec l'ennemi».

J'entends constamment les mêmes monologues douloureux de la bouche de mes clientes, ceux qu'elles récitent toutes les fois qu'elles pensent simplement à faire l'amour avec leur partenaire infidèle.

- *«Comment peux-tu avoir couché avec nous deux et pouvoir encore regarder nos enfants dans les yeux? Que va-t-il arriver si tu as le sida?»*
- *«Je me sens sale. Tu me répugnes. Quels autres mensonges m'as-tu racontés? Je ne peux plus être nue auprès de toi. Je me sens exposée, je n'ai plus de défenses. Tu m'as dépouillée de ma dignité de femme.»*
- *«Je ne pourrai plus jamais me sentir en sécurité dans tes bras.»*
- *«Nous savons tous les deux que tu penses à elle — et à son corps parfait.»*

En réalité, votre partenaire peut très bien ne *pas* penser à elle; il se pourrait que vous soyez la *seule* qui continue à penser que sa maîtresse partage encore votre lit conjugal.

Le temps est venu pour elle de partir et pour vous de reprendre ou de rebâtir une relation qui améliorera votre vie quotidienne.

Comment?

La fascination et l'obsession

Notre fascination pour la sexualité interdite est très naturelle. Nous ne pouvons rien y changer, et nous nous souvenons des frissons interdits de notre adolescence, lorsque le secret ajoutait son piquant à la sexualité.

Il est aussi normal que le partenaire trompé éprouve de la curiosité pour la «concurrence». Ce sujet doit être discuté lorsque l'adultère est connu parce qu'il démystifie le fantasme et le rend anodin. Le partenaire adultère doit permettre au partenaire trompé de lui poser les questions suivantes:

- Quelle était la fréquence de vos rapports sexuels? Celle de vos rencontres?
- Combien de temps a duré votre relation?
- Quelles étaient les raisons de l'adultère?
- Où avaient lieu vos rencontres?
- Y avait-il d'autres personnes dans le secret?
- Votre relation est-elle terminée?
- Étiez-vous amoureux et l'êtes-vous encore?

Les réponses peuvent être souvent réconfortantes.

Annie était convaincue que les rapports adultères de son partenaire Gérard avec son amie Candice avaient été bien meilleurs que ceux qu'ils avaient eus ensemble. Toutefois, en thérapie avec les trois, il s'est avéré que Gérard était souvent impuissant avec sa maîtresse. «Il t'aime», disait Candice à Annie. «Je ne veux tout simplement pas l'admettre; vous étiez dans NOTRE lit.» (Voir le chapitre 11, «Chagrin et adieux», pour plus de détails sur les confrontations et les raisons de les effectuer.)

Faites toutefois attention lorsque la fascination légitime se transforme en obsession, ce qui risque de se produire lorsque le partenaire adultère donne trop de détails.

Après que Hugues eut trouvé une cassette audio sur laquelle l'amant de sa femme Lydie lui avait enregistré des déclarations passionnées, il a fait l'erreur de demander à cette dernière de tout lui dire. Elle l'a malheureusement fait — et aujourd'hui sa conscience de soi l'empêche de faire l'amour avec elle.

Charles, de son côté, comparait Francine, sa partenaire habituelle, à la femme avec laquelle il avait couché lors d'un congrès. Francine ne se sentait aucune envie d'essayer les fantaisies sexuelles qu'il lui décrivait.

Louise a appelé Marie, la maîtresse de Rolland pour obtenir des détails sur sa manière de faire l'amour. Marie, qui désirait les séparer, a simplement décrit les endroits et les moments où ils l'avaient fait, sans oublier de mentionner la limousine et le plancher de la cuisine.

Louise a appris par la suite que la moitié de ces confidences étaient pure invention. Depuis ce jour-là, elle n'a toutefois pas retrouvé sa confiance en Rolland.

Vous n'avez pas envie ni besoin de savoir toutes les positions qu'ils ont prises, qu'elle lui a fait un *strip-tease*, qu'elle a des vergetures, ni quelle est leur chanson préférée. Vous pensez peut-être que vous aimeriez le savoir — *mais cela ne vous donnerait qu'un peu plus de choses à oublier.*

Comment traverser cette période?

CESSEZ DE VOUS AUTOPUNIR

Ne faites pas abstinence. En refusant de coucher avec votre partenaire pour le punir, vous vous punissez aussi.

Pourquoi vous priver de quelque chose d'aussi agréable qu'un orgasme? Je vous rappelle encore que *le pardon est un cadeau que vous vous faites à vous-même — spécialement dans le domaine de la sexualité.*

Si vous avez décidé — et trop de gens le font — que vous ne dormirez plus jamais avec votre partenaire, pourquoi continuer à habiter avec lui? Pardonnez et ayez à nouveau du plaisir à être ensemble ou déménagez.

Ne vous contentez pas d'une relation platonique en la justifiant par le fait qu'elle est plus sûre. Elle risque de finir par être dangereuse. Vous pouvez avoir du ressentiment et les relations adultères peuvent refaire surface. Par ailleurs, en affrontant les vrais problèmes, la sexualité peut accélérer le processus de guérison.

PRENEZ-VOUS EN CHARGE

Dites-vous que vous aurez des relations sexuelles, que vous désirez du plaisir sexuel et que vous en avez besoin. Rappelez-vous que vous n'êtes plus un enfant qui considère la sexualité comme un acte sale, honteux ou culpabilisant. Au lieu du genre de monologue autodestructeur comme celui ci-dessus, ayez une conversation TONIQUE avant de faire l'amour. Dites-vous quelque chose comme:

«Je refuse de me priver plus longtemps de sexualité. J'ai à nouveau besoin de plaisir. Pourquoi quelqu'un d'autre devrait-il profiter du dur travail que j'ai accompli dans cette relation, de ce que nous avons construit ensemble, de notre famille, de nos vieux jours?»

«Je m'élèverai au-dessus de la crainte de voir sa maîtresse revenir dans nos vies. Je lui parlerai toutes les fois que je me sentirai blessée de faire l'amour à cause de cela et je lui demanderai de me soutenir. Je le soutiendrai s'il est ennuyé parce que ses sensations sexuelles ne reviennent pas.»

«Je ne repousserai pas les relations sexuelles comme je le fais aujourd'hui parce que ça lui permet de gagner la partie.»

CULTIVEZ VOTRE *SEX-APPEAL*

Récompensez-vous de ne pas rester obsédé en faisant tout ce qui vous permet d'être sensuel. Les femmes peuvent se faire faire une pédicure, un massage, une nouvelle coiffure ou s'acheter les sous-vêtements sexy qu'elles ont souvent convoités sans jamais oser le faire. Les hommes peuvent acheter des sous-vêtements de couleur, une nouvelle lotion après rasage, un postiche ou se faire faire une greffe de cheveux. Mais par-dessus tout, conservez une bonne attitude. *Ceux et celles qui s'efforcent d'être sexy y parviennent mieux.*

Florence, par exemple, a transformé sa peur de perdre son mari en une nouvelle approche de la sexualité. Non, elle ne s'enveloppe pas toute nue dans de la pellicule plastique pour l'attendre à la porte. Mais, lorsqu'elle a découvert que sa sexualité n'avait pas été extraordinaire dans sa relation adultère, elle a décidé qu'elle allait le *devenir.* Elle a décidé de concentrer ses efforts sur le toucher et l'écoute de son mari — et elle est devenue de plus en plus sexy au fur et à mesure que sa vie sexuelle s'améliorait!

- Utilisez la blessure de l'adultère pour vous rappeler que la vie est courte et qu'il vaut mieux en profiter.
- Établissez une structure et donnez-vous du temps pour vous apporter mutuellement du plaisir — comme le font les partenaires adultères.

Voici maintenant quelques exercices que certains de mes clients ont utilisés pour permettre à leur vie sexuelle de redémarrer.

Un grand nombre comporte ce qu'on appelle des «jeux de l'esprit» qui risquent de vous sembler inhabituels. Mais, là encore, vos jeux seront négatifs si votre esprit fonctionne toujours avec des images destructrices. Pourquoi ne pas les modifier?

Les jeux de l'esprit agissent aussi bien pour ou contre votre relation sexuelle tant que vous ne scrutez pas trop vos sentiments.

La belle au bain

Laurent refusait de faire l'amour avec sa femme Marilène depuis qu'elle avait eu une relation adultère. Il disait qu'il était un amant inadéquat par comparaison à celui qu'elle avait eu. Je me suis toutefois rendu compte qu'il la considérait aussi salie.

J'ai suggéré aux partenaires qu'ils participent à une variante du bain rituel des Juifs orthodoxes où la fiancée est lavée avant le mariage par d'autres femmes lors d'une cérémonie. À la place, Laurent a donné un bain moussant à Marilène. Il s'est rapproché d'elle et elle s'est sentie purifiée de sa culpabilité. Elle lui a pardonné son caractère possessif, il a commencé à comprendre pourquoi elle avait fui et il lui a pardonné.

Agissez comme si…

Je dis toujours à mes clients que, pour régénérer leur sexualité, ils doivent se comporter avec confiance et assurance.

Un excès d'analyse peut détruire les premières sensations sexuelles qui commencent simplement à renaître.

Oui, *c'est* bien une sensation artificielle… au moins au début. Mais le fait de briser une mauvaise habitude est toujours interprété ainsi au début. Pour pouvoir changer, il faut faire ce qui est *efficace* et non pas ce qui est confortable.

Dans un des cas que j'ai vus, le mari volage fut profondément troublé lorsque sa femme prit l'initiative dans les rapports sexuels. Lorsque Pierre avait épousé Louise, il croyait qu'il n'avait pas beaucoup d'importance pour elle. Sa générosité amoureuse l'a convaincu du contraire. Il savait l'effort que cela représentait pour elle parce qu'elle continuait à imaginer sa superbe jeune maîtresse. Leur première rencontre a été tendue mais, à la seconde, il a changé sa manière d'agir et lui a accordé beaucoup d'attention — et elle a eu un orgasme.

Redécouvrez vos corps

Si vous êtes gauche comme à l'adolescence, vous avez tout intérêt à apprécier ces sensations. *Considérez-vous à nouveau comme si vous étiez vierge.*

Essayez les livres et les vidéos éducatifs. Parlez de vos fantasmes secrets. Discutez de ce qu'il vous faudrait pour vous sentir comblé par la sexualité. Augmentez votre nombre de caresses, de baisers et d'étreintes. Comme nous l'avons vu avec Bernard et Josette, le couple qui n'avait pas fait l'amour depuis dix ans, l'affection peut être le début du dégel sexuel.

Renée, par exemple, a dit à son mari Jonathan: «Recommençons à apprendre, comme si nous étions de jeunes amoureux. Comportons-nous comme si nous étions vierges. C'est vraiment la première fois dans notre nouvelle relation qu'il n'y a rien ni personne entre nous — pas ta maîtresse, ton travail, nos enfants, nos belles-familles, ni l'argent. C'est très nouveau et tout aussi impressionnant.»

Revivez une nouvelle histoire

Au lieu de visionner un scénario mettant en vedette l'amant ou la maîtresse, visualisez celui qui vous met en vedette, vous et votre partenaire.

- Imaginez que vous êtes tous deux allongés sur un matelas pneumatique dans la mer des Caraïbes, doucement ballottés par les vagues. Ou en train de flotter sur un nuage dans un ciel d'azur. Vous fermez les yeux et vous vous sentez bien. Faites ensuite l'amour passionnément. Il n'y a personne autour de vous — vous n'avez plus d'inhibitions, vous n'avez aucune colère, seulement de la passion et du pardon.

Vous êtes libres — de recommencer une nouvelle vie et un nouvel amour.

- Imaginez-vous pendant votre lune de miel — *imaginez ce que vous avez fait par amour.* Souvenez-vous que vous êtes celle qu'il a choisie. Souvenez-vous de tous les compliments qu'il vous a faits.
- Imaginez que c'est la dernière fois que vous vous voyez. Que vous jouez dans le film *Casablanca* et que l'un de vous monte dans le dernier avion qui part au loin. Oui, c'est de la fiction, mais elle peut apporter une énergie électrisante à votre manière de faire l'amour et vous permettre d'oublier votre conscience de soi.

N'ATTENDEZ PAS LE «BON» MOMENT

Il n'y a jamais de *bon* moment pour reprendre vos relations sexuelles. Arnaud et Brigitte ont attendu trois ans après s'être réconciliés avant de venir me voir. Je leur ai dit que, en attendant encore plus, leur relation aurait risqué d'être définitivement compromise.

Arnaud a dit que son groupe de thérapie lui avait suggéré de dormir dans une autre chambre.

«En quoi cela vous a-t-il aidé de vous faire à nouveau confiance? leur ai-je demandé. Cela ne vous a apporté qu'un rejet supplémentaire. Prenez-vous par la main et regardez-vous dans les yeux.

«Il y a une raison pour laquelle le lien de votre relation ne s'est pas brisé — vous vous êtes réconciliés pour cette raison précise.»

À ce stade, ils pleuraient tous deux. Je leur ai demandé pourquoi. «Je l'aime, a-t-il dit, mais quelque chose est bloqué à l'intérieur de moi.» «Nous avions eu des problèmes sexuels avant notre séparation. C'est de ma faute», a dit Brigitte dont la liaison adultère avait précipité leur séparation. Lorsque je lui ai demandé pourquoi elle avait choisi un partenaire aussi peu intéressé par la sexualité, elle m'a confié qu'elle avait été agressée sexuellement par son père lorsqu'elle était enfant.

Elle l'avait dit à Arnaud. Aujourd'hui, elle disait: «Je l'ai pris comme partenaire parce qu'il était gentil et pas agressif comme mon père.»

Elle a fini par se rendre compte qu'elle avait trouvé refuge dans une relation adultère parce que celle-ci lui semblait, paradoxalement, plus sûre. En effet, faire l'amour avec son mari, quelqu'un dont elle était très proche, lui rappelait trop l'inceste qu'elle avait vécu.

Arnaud avait été horrifié d'apprendre qu'elle avait été agressée. Il sentait qu'il n'avait pas le droit de faire des demandes sexuelles qui auraient pu la terrifier. Brigitte avait besoin de se sentir en sécurité avec Arnaud avant de pouvoir lui faire confiance et faire l'amour avec lui. Mais elle avait aussi besoin de dépasser la passivité polie qu'elle *croyait* seulement vouloir.

Ensemble, ils ont commencé à rechercher un terrain de sécurité affective où ils pouvaient se rencontrer. J'ai suggéré à Brigitte qu'Arnaud pouvait être gentil avec elle, mais qu'il pouvait aussi lui exprimer ses sentiments.

Un jour, ils prenaient leur douche ensemble et elle avait gardé son maillot de bain. Arnaud a soudain compris l'importance de la honte de sa partenaire. «Je pensais que tu n'aimais pas ma manière de te faire l'amour, mais je viens de comprendre que tu n'aimes pas la manière dont tu es et dont tu te sens», a-t-il dit. Il ajouta ensuite en murmurant «Tu es si jolie et tu m'as tellement manqué quand je suis parti. Je voudrais être plus proche de toi. Aide-moi», a-t-il encore ajouté.

«Aide-moi, lui a-t-elle répondu. Je me souviens de mon père.»

Ils ont progressivement commencé à s'entraider.

Tout d'abord, ils se sont tenus et caressés mutuellement dans l'obscurité pour qu'il ne puisse pas voir le corps dont elle avait «tellement honte». Puis, une nuit, elle a laissé pénétrer un rayon de lune par la fenêtre. Peu de temps après, ils m'appelaient pour me dire qu'ils avaient fait l'amour.

Fatigués par le découragement, les excuses et la douleur, ils avaient simplement atteint le point où ils souhaitaient tous deux se rendre. Elle ne pensait plus à son père et il ne pensait plus à sa maîtresse.

Ils y sont parvenus en suivant le conseil que ma mère donne souvent: **«Si la lumière est éteinte, prenez-vous par la main et trouvez-la ensemble.»**

Vous pouvez, vous aussi, y parvenir — et pas nécessairement en faisant ce qui vous vient spontanément à l'esprit.

Un post-scriptum passionné

Tout au long de ce chapitre, nous avons parlé de ce qui permet de réchauffer sexuellement un couple. Une des meilleures manières d'y parvenir est de s'assurer qu'il ne se refroidira jamais en lui conservant une tiédeur affective.

Comme je l'ai expliqué dans les chapitres sur la colère, le chagrin et le pardon, vous devez vous soutenir mutuellement, vous parler et vous écouter pour pouvoir reconstruire la confiance.

Tout cela s'applique aussi à la passion.

Souvenez-vous que, souvent, une liaison est une tentative maladroite de stabiliser un couple. Lorsque l'amant ou la maîtresse disparaît, l'écran de fumée se dissipe aussi. Vous devez alors vous efforcer de revenir à l'ancien couple. Si vous tenez pour acquis que votre partenaire vous appartient, vous risquez d'être l'un de ceux qui ont besoin d'apprendre à plus aimer, comme mon père. Si, comme ma mère, vous étiez celle qui tenait cette idée pour acquis, vous avez besoin d'apprendre à moins aimer votre partenaire et à plus vous aimer vous-même.

Les relations de couple qui survivent à un adultère possèdent de solides liens physiques et affectifs. Ces couples s'apprécient vraiment mutuellement et ont une histoire commune. La véritable intimité n'a rien d'accidentel; elle se cultive tous les jours.

Voici quelques moyens de renforcer votre relation de couple et d'écarter le risque d'infidélité.

1) *Exprimez oralement votre amour chaque jour.*

Dites «Je t'aime» à votre partenaire et faites-lui des compliments. (Voir les «mots doux» de la page 185.) Ne pensez pas que votre partenaire lit dans vos pensées et croit que vous admirez son intelligence ou son efficacité parce que vous avez été longtemps ensemble. Dites-le-lui à voix haute et souvent.

2) *Exprimez votre amour physiquement tous les jours.*

Ne le faites pas seulement dans les rapports sexuels, mais par des étreintes et des caresses fréquentes. (Voir l'Exercice d'embrassade de la page 140.)

3) *N'attendez pas la perfection — ni chez vous ni chez votre partenaire.*

4) *Ne vous retirez pas dans un silence blessé ou boudeur — communiquez.*

Souvenez-vous que la paix n'a pas de prix.

5) *Apprenez à exprimer correctement votre colère.*

(Voir le chapitre 9). N'attaquez pas, ne soyez pas méprisant ni critiqueur — des traits qui caractérisent les couples qui vont vers le divorce (sans se battre avec classe et en portant leur gilet «pare-balles»).

6) *Conservez une attitude positive à propos du changement dans la relation de couple.*

Le changement est inévitable. Solutionnez vos conflits pour grandir ensemble.

7) *Faites de votre relation de couple une priorité.*

Organisez votre temps pour vous retrouver seuls ensemble, pour apprécier et cultiver votre relation.

8) *Faites-vous mutuellement des confidences.*

Soyez les meilleurs amis du monde, désireux de partager vos pires angoisses et vos plus grands succès. Acclamez-vous mutuellement et confiez-vous des secrets que vous ne pourriez — et ne voudriez — pas révéler à personne.

Des recherches ont identifié plusieurs facteurs communs dans les mariages qui se terminaient par des divorces. Ceux-ci comportent les critiques blessantes et répétées, le mépris et la froideur. Veillez à ce qu'ils ne s'appliquent pas à vous.

Chapitre 14

Aider les enfants grâce à la «thérapie familiale par le jeu»

Raphaël est le descendant d'une longue lignée de maris infidèles. Son grand-père et son père, riches fabricants de vêtements, avaient la réputation d'échanger leurs maîtresses lorsqu'ils en étaient lassés.

Raphaël a épousé Marie-Claude, un mannequin gracieux, sans modifier la tradition familiale sur le plan des affaires ni sur celui de l'adultère. Après qu'il eut eu trois liaisons en sept ans de mariage, Marie-Claude est partie avec son fils Jean-Guy. Elle s'est aussi jurée que l'enfant ne reproduirait jamais le modèle adultère paternel.

Puis Jean-Guy a fait une très grave crise d'asthme que les médecins ont jugé d'origine psychosomatique. Lorsqu'on l'a sorti de la tente à oxygène, ses parents, angoissés mais rapprochés par sa maladie, ont assuré qu'ils lui donneraient tout ce qu'il voulait. Le vœu de l'enfant était, bien entendu, de les voir revenir ensemble.

Raphaël et Marie-Claude ont promis d'essayer — et d'amener aussi le grand-père et l'arrière grand-père de Jean-Guy en thérapie. Après plusieurs mois d'une thérapie de quatre générations d'hommes, le couple a finalement pu reconnaître le modèle familial destructeur — et toute la famille y a mis fin. Aujourd'hui, Jean-Guy et toute sa famille se portent bien.

Assez souvent, c'est à cause d'un petit enfant qu'une famille vient chercher de l'aide auprès de moi. **Avec sa franchise innocente, l'enfant exprime ce que la famille dissimule. Il vous suffit d'observer le vôtre pour savoir comment vous faites face à votre vide intérieur.**

Souvenez-vous que l'enfant a une tendance à la pensée magique. Il croit qu'il est tout-puissant: «Si je le souhaite, ça va se produire.» Toutefois, il se blâme aussi personnellement pour toutes les mauvaises choses qui se produisent et reste persuadé qu'il pourra faire revenir à volonté tout ce qui a disparu si lui — ou ses amis — prononce la bonne formule magique.

Tout comme le joueur, l'adulte ayant une relation adultère n'abandonne jamais sa pensée magique. «Si j'affirme que ça n'existe pas, ça va disparaître ou ça n'aura aucune conséquence», se dit-il.

L'enfant se dit toutefois: «Papa ne m'aime pas. Il est encore avec son amie. Les papas doivent être avec leurs enfants.» Ou il demande: «Allons-nous avoir un nouveau papa? Qu'est-ce que j'ai fait de mal?» Parfois, son désir d'arranger les choses le rend extraordinairement courageux: un petit garçon s'est un jour approché de la maîtresse de son père et lui a demandé de laisser ce dernier tranquille. Il vivait un grave conflit de loyauté: devait-il ou non parler à sa mère de cette autre femme?

Souvent, le comportement de l'enfant annonce que quelque chose ne va pas. Il peut s'agir de l'incapacité à manger ou à dormir, de l'incontinence («pipi au lit»), de la mauvaise conduite, des batailles avec les frères et sœurs, du mauvais travail scolaire, du retrait social ou de l'hyperactivité. Quelles que soient les apparences, le problème n'existe jamais chez un seul membre de la famille.

Comme je l'ai déjà dit, ce problème a de forts risques de se manifester pendant une période de transition, comme la naissance d'un bébé ou la mort d'un grand-parent. Il peut aussi bloquer l'enfant à un stade de son développement. Si, par exemple, ce dernier a une difficulté normale à se séparer du parent pour aller à l'école, son problème peut être exacerbé jusqu'à l'hystérie en cas d'abandon par un parent adultère.

Une liaison adultère est particulièrement traumatisante lorsque l'enfant est au stade phallique de son développement — c'est-à-dire qu'il s'identifie fortement au parent du même sexe que lui et qu'il est amoureux de l'autre. Non seulement l'enfant doit-il apprendre à partager ce parent avec l'autre, mais encore avec son amant ou sa maîtresse. Cette situation prépare la confusion en matière d'intimité qui se manifestera plus tard dans la vie.

Comme nous l'avons vu au chapitre 3, même un très jeune enfant perçoit le trouble affectif de ses parents. En fait, son comportement peut même signaler la présence de l'adultère alors que l'autre parent l'ignore. **Vous pouvez même faire empirer les choses en essayant de dissimuler le problème à votre enfant ou de mentir. L'enfant grandit alors sans vous faire confiance.** Nous avons tous peur d'être abandonnés et la trahison constitue la pire forme d'abandon.

Dans de nombreux cas, l'enfant perturbé ne présente pas de symptôme. C'est une situation encore plus dangereuse. Pour parvenir à guérir cette blessure secrète, j'ai associé deux formes de thérapie existantes pour créer la *«thérapie familiale par le jeu»*.

Traditionnellement, la thérapie par le jeu sans la famille sert dans des cas isolés de psychanalyse, pour le traitement de la rivalité entre frères et sœurs, les mauvais traitements infligés à l'enfant ainsi que pour d'autres problèmes graves. Je trouve aussi la «thérapie familiale par le jeu» très utile avec l'adultère. Même l'enfant très jeune — qui s'exprime mal —, ou résistant comme l'adolescent, pourra retirer un bénéfice de la thérapie s'il s'ouvre plus avec la «thérapie familiale par le jeu». **Le jeu est à l'enfant ce que la conversation est à l'adulte.**

La «thérapie familiale par le jeu» est comparable à une radiographie affective, et pas seulement pour l'enfant mais aussi pour ses parents. Il s'agit d'un effort commun entre eux. Elle libère l'enfant de la responsabilité de garder un secret et elle minimise la honte et la culpabilité de l'adulte. En se rappelant de la liberté de sa propre enfance, l'adulte peut traiter plus facilement avec ses peurs et ses colères. La «thérapie familiale par le jeu» accélère les stades de deuil et de pardon de l'adulte et de l'enfant.

Cette thérapie est:

- honnête;
- sans menace;
- égalisatrice (*Elle permet aux parents et aux enfants de communiquer au même niveau.*);
- pratique (*Un enfant peut exprimer ce qu'il ressent avec des poupées même s'il est incapable d'en parler.*);

- utile (*Elle apprend aux parents ce que l'enfant sait vraiment des problèmes de la famille.*);
- réconfortante (*Elle permet à l'enfant de savoir ce qui va se passer et de traiter avec l'inconnu.*).

La famille doit toutefois veiller à respecter rigoureusement la thérapie, même après la fin des symptômes.

Ses parents m'avaient amené la petite Mélanie, cinq ans, parce qu'elle souffrait d'incontinence. Cette habitude a cessé lorsqu'elle a vaincu sa peur de voir partir son père parce que sa mère avait un amant et la famille a cessé sa thérapie. Sa mère a aussi mis fin à sa liaison. Cette famille n'ayant pas encore résolu ses problèmes cachés, je n'ai pas été surprise de la revoir l'année suivante. Cette fois-ci, c'était le père qui avait une liaison et le fils de neuf ans avait été renvoyé de l'école. Toute la famille est restée en thérapie pendant six mois. *Comme cela se produit souvent, les symptômes étaient simplement passés d'un enfant à l'autre tant que les problèmes sous-jacents n'avaient pas été réglés.*

De nombreux adultes qui font de la «thérapie familiale par le jeu» pour leurs enfants s'amusent beaucoup et résolvent ainsi leurs propres problèmes qui datent souvent de trois générations. Le jeu libère l'enfant caché en eux et peut aider leurs enfants à éviter de répéter ce modèle dangereux.

Cette thérapie peut être faite entre les parents et les enfants sans l'aide d'un thérapeute. Ne vous y risquez toutefois pas si:

a) Un enfant est maltraité.

b) Un parent ou les deux risquent de battre l'enfant ou de se battre entre eux. (Si vous n'avez pas extériorisé votre colère, vous risquez de le faire sur votre enfant et de le blesser.)

c) Un parent ou les deux a un tempérament violent ou est un ancien toxicomane.

COMMENT METTRE EN PRATIQUE CETTE THÉRAPIE

Ce dont vous avez besoin:

Matériel

Crayons, peinture à l'eau ou craies de couleur, papier; un tableau noir ou un chevalet peut aussi être utile.

Pour des enfants de trois à onze ans: poupées, maisons de poupée, meubles de poupée et petits personnages. (J'utilise personnellement les personnages populaires et bon marché *Family* de Little Tikes.) Aussi, de la pâte à modeler, un *punching-ball,* un établi et des outils pour le bois et des clous, des éléments de jeu de construction en bois, des tambours, des pistolets jouets.

Pour des enfants plus vieux, y compris les adolescents: échecs, Monopoly ou autres jeux du même genre. (J'ai utilisé avec succès le jeu *Gilligan's Island* de Playskool — pas encore distribué au Québec — inspiré du feuilleton télévisé des années 1960, «Les joyeux naufragés», et qui met en scène un groupe de naufragés sur une île déserte. Il permet aux enfants et aux parents d'exprimer les sentiments de rejet que l'adultère provoque souvent.)

Les animaux familiers peuvent aussi être utiles. En thérapie, une fillette ayant de la difficulté à s'exprimer verbalement a révélé l'agression sexuelle de son père en disant que le petit chien avait peur de son papa.

Remplissez un sac de petits jouets qui peuvent être ceux que l'enfant utilise déjà. Demandez-lui de fermer les yeux et faites-lui-en choisir trois. Commencez ensuite à raconter une histoire à propos d'un nouveau jouet (conçue autour de l'adultère). Si l'enfant continue l'histoire, il peut garder le jouet. Si c'est vous qui la terminez, vous devez tirer la morale sur l'adultère.

Horaire

Réservez au moins 10 minutes à la même heure chaque jour pour jouer intensivement. Vous en apprendrez ainsi beaucoup sur la colère, l'angoisse et l'attitude changeante d'un enfant. C'est souvent la seule attention qu'il puisse obtenir dans cette situation familiale difficile. (Le parent le plus éloigné de l'enfant doit aussi faire ce jeu 10 minutes par jour, surtout s'il s'agit d'un «fuyard».)

Règles du jeu

L'enfant doit avoir le droit de dire tout ce qu'il veut sans crainte de représailles.

- Aucun secret n'est permis.
- Aucune colère des parents n'est permise, ni des représailles ultérieures. Pas de jugement moral non plus.
- Faites ce que souhaite l'enfant. Lisez une histoire, jouez à la balle. Autorisez un changement dans les règles du jeu. Votre enfant dirige (sauf en ce qui concerne la sécurité).

- Ne prêtez pas attention au désordre.
- Ne laissez pas l'enfant se saturer par un excès de jouets ou de stimulation.
- Soyez à l'aise, souple et patient. Portez de vieux vêtements pour pouvoir vous traîner sur le sol et être à la hauteur de l'enfant.
- Faites participer les grands-parents au besoin. L'enfant guérit plus vite s'ils sont présents — et peut-être vous aussi.

REMARQUE: Dans ma pratique personnelle, je fais souvent deux ou trois «thérapies familiales par le jeu» en même temps. Les familles jouent et racontent leurs histoires à tour de rôle. Cela constitue un groupe de soutien dans lequel les familles peuvent mutuellement se réconforter, se rassurer et éviter de se sentir seules.

- Encouragez l'utilisation de tout ce qui peut détendre les enfants. Un garçon a apporté sa clarinette et un autre son hamster.
- Souvenez-vous que le réconfort est un élément essentiel. Ne soyez pas avare d'embrassades, de traitements de faveur et de mots d'amour.
- Ne mentez jamais. Ne promettez pas ce que vous ne pouvez pas donner, comme une réconciliation, par exemple.

Voici quelques exercices spécifiques — et certains exemples types de familles qui ont pu les utiliser avec succès.

DESSINEZ UN ARBRE GÉNÉALOGIQUE

L'arbre généalogique est la version enfantine du «génogramme». Remplissez-le avec les noms et les photographies des membres de la famille, mais aussi avec les animaux familiers et les jouets préférés. Laissez de la place pour l'amant ou la maîtresse du parent. Indiquez les relations triangulaires — précisez qui est proche de qui, qui est en lutte avec qui, etc.

Les parents doivent faire avancer les choses en posant des questions pertinentes sur l'adultère: Où est maman pendant la journée? Qu'est ce que tu aimes le plus chez maman? Où papa va-t-il passer la nuit? Est-ce que tu ressembles à papa d'une manière quelconque? Les réponses peuvent être surprenantes. Même le très jeune enfant peut faire figurer l'amant ou la maîtresse d'un parent dans son arbre généalogique, malgré que la famille pense avoir conservé le secret.

PAR EXEMPLE:

Alain et Julie étaient certains d'avoir protégé Stéphanie, leur fille de cinq ans, de la discorde pouvant résulter de l'adultère de son père. Tous deux médecins, ils ne s'étaient jamais disputés, n'en avaient jamais parlé devant elle et essayaient d'avoir toujours l'air heureux en sa présence. Elle a pourtant commencé à faire des cauchemars.

Je lui ai demandé de me dessiner sa famille et Stéphanie a représenté sa mère, son père... et une seconde femme entre eux.

DESSINEZ VOS SENTIMENTS

Dessinez des visages gais et des visages tristes sur un carnet à dessin ou un tableau noir pour montrer l'ambivalence des sentiments du père, de la mère et de l'enfant lorsqu'un parent est amoureux d'une maîtresse ou d'un amant et pense à se séparer et à divorcer.

MAISON DE POUPÉE

Grâce à deux maisons de poupée et à un choix de personnages masculins et féminins, faites dire à votre enfant quels sont les occupants des maisons et où ils se trouvent en ce moment. Prévoyez une poupée de plus pour représenter l'amant ou la maîtresse au cas où l'enfant voudrait mettre ce personnage en jeu. Si l'enfant en parle, présentez la poupée: «Voici l'ami (e) de maman ou de papa.» Cette poupée supplémentaire fera souvent jaillir la vérité en cas d'incertitude sur le fait que l'enfant connaisse ou pas la vérité.

Observez si l'enfant rapproche ou éloigne les poupées — vous en apprendrez beaucoup sur les relations des membres de la famille.

Avec ses poupées, Lise, trois ans, a raconté une histoire qui a eu beaucoup d'effet. On me l'a amenée parce qu'elle se cramponnait à ses parents et refusait d'aller à la garderie. Il s'avéra que la petite fille connaissait l'existence de la maîtresse de son père, qu'on la lui avait présentée et qu'on lui avait demandé de garder le secret envers sa mère, ce qui la faisait se sentir déloyale.

Une fin de semaine, Michel, son père, l'avait emmenée faire une promenade de trois heures en voiture pour lui faire rencontrer Caroline, sa maîtresse. Tous trois étaient allés manger de la crème glacée et au cinéma et, alors que Michel n'avait jamais expliqué qui était Caroline ni manifesté de l'affection pour elle, Lise avait senti qu'elle était plus qu'une simple amie pour son père.

Le comportement de Michel était maladroit et irrationnel. Il est en effet très nocif d'inclure un enfant au centre d'un triangle amoureux. Vous devez respecter des règles très précises (voir le chapitre 15) si vous décidez de divorcer et d'épouser votre amant ou votre maîtresse. Si la liaison existe toujours, il est cruel et troublant de mettre ainsi la loyauté d'un enfant à l'épreuve.

Lorsqu'elle est venue me voir, Lise était tellement troublée qu'il m'a fallu 20 minutes pour la réconforter avant même qu'elle puisse jouer. Dès qu'elle a été installée avec les poupées et les voitures jouets, elle n'a toutefois pas été longue à trahir le secret de son père. Elle a d'abord sorti la poupée «papa» de la maison et l'a installée dans la voiture. «Où papa va-t-il?» ai-je demandé. Comme elle tardait à répondre, j'ai ajouté «Voir grand-mère? Au travail?».

«Il faut pas le dire», a-t-elle répondu. Et elle a murmuré «Papa va voir Caroline!». Puis elle a jeté un personnage féminin sur le sol et a réinstallé son père dans la maison à côté de la poupée «maman».

C'était la première fois qu'Anne, la mère de Lise, apprenait la présence d'une autre femme dans la vie de son mari — bien qu'elle ait été elle-même une de ses maîtresses lorsqu'il était marié avec sa première femme. Michel a essayé d'arranger les choses en disant «Lise aime Caroline. Caroline est l'amie de papa» et en mettant la poupée Caroline dans la voiture avec celles de son père et de sa mère.

Lise ne voulait cependant rien entendre. Cette fois-ci, elle a jeté la poupée qui la représentait sur le sol en criant «Non! Caroline pas l'amie de papa, Caroline méchante avec maman.»

Sur mon conseil, Anne a joué le scénario avec la fillette et a dit «La petite fille est malheureuse. Que s'est-il passé?».

Après dévoilement de l'adultère, Anne s'est fâchée contre Michel. «Comment as-tu pu faire ça à notre enfant!» Elle l'a menacé de partir en disant «Je ne laisserai pas faire ça». Elle a mis les poupées «maman» et «Lise» dans une maison et «papa» dans une autre. Lise s'est alors énervée et a dit «Papa veut être avec moi!». Elle a alors jeté la poupée «Caroline» à travers la pièce en criant «Papa méchant, Caroline méchante, maman triste, Lise triste!».

Rapidement, lorsque ses parents se sont mis à vivre séparément, Lise a continué à mettre leurs poupées ensemble. «Non», criait-elle en tapant du pied.

Il a fallu plusieurs mois avant que Michel et Anne comprennent l'importance du chagrin de leur fille et, avec l'aide de leurs propres parents, ils se sont réconciliés. Si un thérapeute avait travaillé avec chacun d'eux séparément, ils auraient risqué de ne jamais s'entendre et de ne pas collaborer pour aider leur enfant.

LE JEU DU TRIANGLE

Si votre enfant a surpris des disputes entre ses parents, dessinez un triangle avec maman, papa et l'amant ou la maîtresse. Dessinez l'enfant au milieu mais rassurez-le, car il n'aura pas à choisir d'aimer l'un ou l'autre de ses parents.

Laissez-le s'effacer de l'intérieur de ce triangle et se dessiner à côté d'un de ses parents. Dites-lui «Je ne vais pas partir, mais tu n'as plus à te sentir pris entre nous».

Laissez-le venir à tour de rôle avec un de ses frères ou sœurs dans vos bras pour qu'il vous montre exactement comment il se sent d'être pris dans la lutte.

RACONTEZ UNE HISTOIRE EN JOUANT

Les histoires doivent avoir une morale réaliste; elles ne doivent pas être fantaisistes. Ne donnez pas de faux espoirs si vous n'êtes pas prêts à vous réconcilier. Si vous ignorez comment les choses vont se terminer, dites-le simplement. Vous ne risquez pas de les faire empirer en racontant des histoires parce que les secrets existent et ils ont besoin d'être dévoilés. (Le docteur Richard Gardner a mis au point une méthode qui consiste à se raconter mutuellement des histoires et je l'utilise dans ma «thérapie familiale par le jeu».)

Si, par exemple, votre enfant dit «La maman et le papa ours ont toujours vécu heureux ensemble par la suite», vous pouvez préciser «La maman et le papa ours s'aiment beaucoup, mais ils se demandent s'ils vont pouvoir continuer à rester dans la même grotte» — histoire à suivre.

«Cependant, quoi qu'il se passe, tous les deux aiment beaucoup leur petit ourson.»

Le parent ou le thérapeute devrait débuter l'histoire pour donner l'exemple, puis laisser l'enfant continuer. Après que l'enfant a donné sa morale «heureux-et-pour-toujours», l'adulte ajoute la sienne plus réaliste. Donnez ensuite une récompense à l'enfant qui a participé à l'histoire.

La «thérapie familiale par le jeu» est efficace même dans les pires situations, lorsque le divorce paraît inévitable.

Prenons exemple sur Jean-Marc et Céline que nous avons rencontrés au chapitre 9. Jean-Marc avait non seulement frappé Paul, le patron de Céline, après l'avoir trouvé au lit avec sa femme, mais il avait raconté à ses enfants des choses dévastatrices.

«Votre mère est une prostituée, avait-il crié devant Carine, sa fille de quatre ans, et Jean-Louis, son fils de sept ans. Elle part avec Paul, son patron. Maman ne vous aime plus et elle va vous abandonner. Maman et papa vont divorcer. Essayez d'aider papa pour que maman arrête de voir Paul.»

Avec sa violente colère, Jean-Marc voulait non seulement se venger, mais aussi faire cesser la liaison de sa femme. Il n'avait pas tenu compte du chaos qu'il créait. Carine avait recommencé à faire pipi au lit à quatre ans. Elle se réveillait en hurlant au milieu de la nuit et ne mangeait presque plus. Jean-Louis disait qu'il était malade et refusait d'aller à l'école où il ne travaillait plus et se comportait mal.

Leur père avait quitté la maison et leur mère sortait souvent avec Paul. Et les deux enfants étaient terrifiés — et c'est compréhensible — à l'idée d'être abandonnés. L'abandon est la pire crainte des enfants parce qu'ils ne peuvent pas se débrouiller seuls, contrairement à ce que le petit MacCauley Culkin démontre dans le film *Maman, j'ai raté l'avion.*

Dans un effort de la dernière chance, ils sont tous venus me voir pour une «thérapie familiale par le jeu». La situation était tellement tendue que j'ai demandé au père de s'excuser et d'expliquer aux enfants qu'il était très triste, blessé et en colère contre leur mère, mais qu'il ne pensait pas vraiment qu'elle était méchante et qu'elle allait les abandonner. Il a aussi dit aux enfants qu'il les aimait beaucoup et que lui et maman allaient essayer de résoudre leurs problèmes.

Il a bien précisé que ces problèmes n'avaient absolument rien à voir avec eux et que, parfois, lorsque les papas et les mamans se sentent seuls, ils se trouvent un ou une amie. Parfois, lorsqu'ils sont trop occupés ou autoritaires, ils se trouvent un ami comme Paul. Jean-Marc a dit qu'il avait été trop autoritaire avec maman et maman s'était trouvé un ami. Il rassura les enfants: au lieu de Paul, c'était maintenant lui qui serait l'ami de maman. Et il a commencé à raconter l'histoire suivante.

«Il était une fois un petit garçon et une petite fille qui avaient été laissés tout seuls. Leur maman était très triste et seule parce que leur papa criait trop, buvait trop et ne voulait pas la laisser aller travailler. Il était fâché contre maman et essayait toujours de lui dire ce qu'elle avait à faire.

«La maman avait essayé de lui parler mais il ne voulait pas l'écouter et, un beau jour, la maman est partie avec un ami qui était gentil avec elle et ne lui disait pas quoi faire.

«Cela ne voulait pas dire que la maman était méchante... cela voulait dire qu'elle était triste et que le papa ne le savait pas jusqu'à cette nuit où elle n'est pas rentrée à la maison.»

Alors Jean-Marc s'est tourné vers son fils et lui a demandé de continuer l'histoire.

Jean-Louis a continué: «Le petit garçon a dit j'aime le nouvel ami de maman parce qu'il nous apporte de la crème glacée. Il s'amuse avec nous. Il dit pas toujours quoi faire. Maman a dit qu'il devait être notre ami et, qu'un jour, il viendrait peut-être habiter à la maison avec nous.»

Carine a alors continué: «La petite fille était malheureuse parce qu'elle aimait l'ami de maman et elle avait peur que son papa ne l'aime plus si elle aimait l'ami de maman.

«Comment aimer l'ami de maman sans que papa soit fâché? Et si papa est fâché, est-ce qu'il m'aimera encore? Est-ce qu'il va partir? Si la petite fille aime pas l'ami de maman, c'est maman qui sera méchante avec la petite fille et qui partira?

«La petite fille peut pas dormir parce qu'il y a un gros ours dans sa chambre. Quand elle a parlé à papa de l'ami de maman, papa s'est mis en colère. La petite fille croit que c'est sa faute et qu'elle a été méchante.»

Leur père continua alors l'histoire. «Le papa n'avait jamais voulu enlever les enfants à leur maman. Il était juste ennuyé, et la maman ne voulait pas être séparée de ses enfants... c'était une gentille maman.»

Il était visible que les deux enfants faisaient des essais pour voir si leurs parents les aimaient encore et voulaient rester avec eux. En forçant les adultes à voir et à entendre leur douleur, ils ont permis à toute la famille d'accomplir la tâche difficile de pardonner et de recommencer une nouvelle vie ensemble.

Dans mon bureau, je rencontre les enfants dans le contexte de leur famille et je traite tout le monde ensemble. Cela permet de briser les modèles familiaux et libère les enfants qui deviendraient autrement des enfants devenus adultes d'un parent adultère.

En dévoilant les secrets de famille, la «thérapie familiale par le jeu» peut rapprocher les membres de la famille ou leur permettre d'affronter l'éloignement et le besoin d'améliorer leur relation de couple ou de se séparer.

Les parents ne peuvent pas fuir un problème lorsque leur enfant en présente des manifestations. L'enfant les met face à la réalité. Ils sont obligés d'aller au fond du problème. En refusant de le régler, les parents donnent à leur enfant un héritage qu'il risque de transmettre à ses propres enfants. C'est aux parents qu'il appartient de changer le destin de leur enfant.

Chapitre 15

Lorsque le péché pardonnable ne l'est pas

VÉRIFIEZ VOS CONNAISSANCES

Que savez-vous exactement sur le divorce? Examinez les opinions suivantes qui sont largement répandues.

1. Le taux de divorce est plus faible avec les seconds mariages.
   Faux: Il est plus élevé.
2. L'adultère est moins fréquent avec les seconds mariages.
   Faux: Il est plus fréquent.
3. Le divorce règle un problème et fait disparaître le vide affectif.
   Faux: Il provoque un vide plus grand et qui dure plus longtemps.
4. Il semble qu'on ne soit jamais vraiment divorcé lorsqu'on a des enfants.
   Vrai.
5. Le divorce commence bien avant le début de la séparation et se prolonge bien après.
   Vrai.

6. Les liens négatifs sont les plus forts et ils vous empêchent de vous laisser aller.
   Vrai.
7. Un divorce, tout comme un décès, ne met pas nécessairement fin à une relation de couple.
   Vrai.
8. Lorsque c'est fini, c'est fini.
   Faux.
9. Il faut autant de temps pour terminer une relation de couple que pour en commencer une.
   Vrai.

> Si vous voulez savoir combien il vous faut de temps pour vous libérer d'un partenaire, tenez compte du nombre d'années que vous avez passées avec lui (sans oublier d'ajouter celui depuis lequel vous le connaissez). Si vous le connaissez depuis deux ans, que vous avez été mariés pendant trois à cinq ans et que vous divorcez, il peut vous falloir de un an et demi à trois ans pour vous débarrasser du syndrome de vide affectif. Si vous êtes mariés depuis vingt-cinq ans ou plus, ne soyez pas inquiet, car il peut vous falloir très longtemps avant de vous laisser aller.

Il arrive parfois que le péché pardonnable ne le soit *pas*, et que votre seul recours soit alors le divorce. Mais seulement après une véritable analyse de soi.

La rupture doit être considérée comme l'ultime recours plutôt que comme un moyen facile de se séparer.

Je suis affligée par le fait que, malgré une stabilisation actuelle du pourcentage des divorces aux États-Unis, 50 p. 100 des mariages se terminent ainsi et que 65 p. 100 d'entre eux ont été touchés par l'adultère. Selon le National Center for Health Statistics, près de 100 000 couples divorcent chaque mois.

Je suis convaincue que, trop souvent, les couples renoncent à leur relation pour les mauvaises raisons: fierté, culpabilité, honte, abnégation ou entêtement. Ils agissent impulsivement, dans la plus grande confusion ou la lassitude, en pensant à tort «Que pourrais-je faire d'autre?». Ou ils sont encore en période de dénégation et refusent d'affronter leur vide intérieur. Devant cela, le divorce paraît souvent le moyen le plus facile d'en sortir, mais il provoque pourtant des problèmes plus profonds.

Le divorce peut compenser les dégâts causés à la famille par l'infidélité. Selon une étude faite en 1992 par Matt McGue, psychologue à l'université du Minnesota, la tendance au divorce est influencée par l'hérédité — tout comme l'adultère. Il a étudié la proportion de divorces chez 1516 paires de jumeaux identiques et non identiques (homozygotes et hétérozygotes) et a trouvé qu'elle augmentait selon le lien de parenté. Si, par exemple, le père et la mère se sont séparés, la probabilité de divorce augmente chez les jumeaux de 10 p. 100. Si ce sont leurs beaux-parents, elle passe à 20 p. 100 et si un frère ou une sœur fait pareil, elle augmente de 10 p. 100 pour les jumeaux non identiques et de 25 p. 100 pour les jumeaux identiques.

En outre, le divorce est perturbateur mais aussi, rarement efficace. Si vous vous séparez sans prendre conscience de votre vide intérieur, vous ne parviendrez jamais à vaincre votre problème d'intimité. Les problèmes non résolus vont simplement vous suivre, de relation de couple en relation de couple. Je vois cela se passer souvent et cela coûte très cher dans les tribunaux statuant sur les divorces où les couples se battent encore avec des colères non réglées. La fin d'une relation affective n'a donc pas à se produire par l'intermédiaire de batailles aussi coûteuses!

PENSER AU DIVORCE

Mais, en dépit de tous ces arguments contre le divorce, vous pouvez considérer que la fin de votre union est la seule solution. Si vous avez fait les exercices sur la colère et le deuil des chapitres précédents sans parvenir à pardonner, vos blessures ne sont peut-être pas guérissables. Vous ou votre partenaire risquez de ne pas pouvoir ou de ne pas vouloir vous engager suffisamment pour travailler sur votre problème. Votre relation est peut-être allée trop loin. Certaines personnes ne peuvent simplement pas se remettre d'un adultère. Quelque chose est mort à l'intérieur d'elles-mêmes et elles ne demandent pas d'aide au bon moment.

Le divorce n'est pas toujours synonyme d'échec. Souvent, il faut plus de courage pour divorcer que pour rester dans une situation désagréable. Si vous avez sincèrement et répétitivement essayé et que rien n'a fonctionné, appréciez le fait d'être allé aussi loin.

Amanda, par exemple, a fait des efforts héroïques pour sauver son mariage avec Donald, un agent d'immeubles qui avait souvent séduit ses amies. Puis, alors qu'elle avait une grossesse normale après quatre fausses couches, il a eu une relation adultère avec Sonia, la meilleure amie d'Amanda.

Elle a toutefois réussi à pardonner cette double trahison. Pendant deux ans après la naissance de Stéphan, leur fils, elle a persisté malgré que Donald ait continué à courir les jupons, à se montrer jaloux du bébé et à ne jamais l'aider à s'en occuper.

Quand Donald a refusé de consulter un thérapeute, elle a décidé qu'elle avait fait assez de travail sur elle-même pour supporter plus longtemps cette humiliation. Elle a demandé le divorce — et aujourd'hui, sa carrière d'agent d'immeubles, son fils et son second mariage vont très bien.

Comment savoir que c'est le moment de partir?

Cette question est très complexe et c'est une des décisions les plus difficiles que vous aurez à prendre. Pour pouvoir mesurer leurs véritables sentiments avant de prendre une décision à propos du divorce, je demande à mes clients de répondre à une série de questions. J'espère que cette «entrevue finale» vous aidera aussi.

C'est ce que je fais avec des couples qui veulent divorcer. **Je sens très bien que la plupart d'entre eux divorcent trop rapidement et pour de mauvaises raisons alors qu'ils pourraient rester ensemble.** La plupart des couples tombent amoureux, mais ne savent pas comment le *rester.* J'ai découvert que beaucoup de gens pouvaient changer d'avis sur le divorce et pardonner après avoir examiné les questions suivantes que je leur pose avant de les inciter à se décider.

Vous devriez faire pareil. Ces questions peuvent sauver votre couple et 98 p. 100 de mes clients sont parvenus à sauver le leur. N'oubliez pas que le partenaire trompé et le partenaire infidèle peuvent faire des réponses différentes. **La frontière entre le divorce et le pardon est très étroite.**

QUESTIONS À VOUS POSER AVANT DE VOUS DÉCIDER À PARTIR OU À RESTER

1. Vous êtes-vous marié par amour?
2. Essayez-vous d'échapper à votre vide intérieur?
3. Essayez-vous d'éviter l'intimité maintenant que vous êtes dans la phase de reconstruction? (Les partenaires adultères et les partenaires trompés paniquent lorsque leur liaison est découverte et interrompue, c'est-à-dire lorsque ceux qui évitent l'intimité doivent se regarder en face. C'est à ce moment-là que la panique s'installe.)
4. Êtes-vous rancunier comme le reste de votre famille?
5. L'amertume vous est-elle très désagréable? Avez-vous de la difficulté à pardonner?
6. Êtes-vous prêt vous, et votre partenaire, à travailler sur votre problème?
7. Reste-t-il un peu d'amour entre vous? *Attention: la douleur endort l'amour.*
8. Le partenaire adultère vous a-t-il transmis une MST que vous ne parvenez pas à lui pardonner?
9. N'avez-vous envie d'avoir raison que pour ne pas pardonner? Souffrez-vous de fierté mal placée?
10. Êtes-vous conscient de la force des sentiments négatifs et refusez-vous de vous laisser aller?
11. Confondez-vous la douleur avec la mort de votre relation de couple? *Attention: la plupart des gens partent lorsqu'ils sont blessés et ne donnent pas à leur partenaire la chance de se guérir seul. C'est la raison la plus courante de divorce.*
12. Si vous êtes le partenaire adultère, avez-vous essayé de vous débarrasser de votre culpabilité et de votre honte avant de vous décider à divorcer? De nombreux partenaires adultères divorcent à cause de la honte et de la culpabilité qu'ils éprouvent au lieu d'essayer de s'en débarrasser en recherchant le pardon. *C'est la cause la plus fréquente de séparation pour la mauvaise raison des partenaires adultères.*
13. La blessure est-elle trop profonde? Le temps qui a passé est-il trop long pour vous empêcher de pardonner et donc de lâcher prise?

14. Votre désir de régler votre colère est-il un signe que vous souhaitez divorcer?
15. Divorcez-vous non pas parce que vous êtes amoureux de votre amant ou de votre maîtresse, mais plutôt parce qu'une culpabilité non réglée interfère avec votre couple?
16. Vous êtes vous spécifiquement servi d'une liaison adultère pour vous libérer de votre relation de couple?
17. Avez-vous des problèmes avec la séparation en général? Essayez-vous de quitter votre partenaire en douceur? Avez-vous toujours secrètement désiré le divorce?
18. Est-ce que le fait d'avoir une liaison est une manière lâche d'agir? Est-ce la seule manière que vous ayez trouvée pour divorcer?
19. Placez-vous les besoins de votre amant ou de votre maîtresse avant ceux de vos enfants ou de votre partenaire?
20. Comme partenaire adultère, faites-vous la plus grosse part du travail affectif? Souffrez-vous plus que le partenaire trompé? Souhaitez-vous plus vivement que votre partenaire affronter les problèmes qui vous ont amené à l'adultère?
21. Êtes-vous le partenaire trompé qui s'accroche au partenaire adultère, qui refuse de reconnaître sa part de responsabilité, qui est obsédé par l'amant ou la maîtresse de l'autre et qui sent qu'il a été trahi? Utilisez-vous le divorce comme une solution à vos problèmes de vide intérieur? *C'est la cause la plus courante de partenaire trompé qui divorce pour la mauvaise raison.*
22. En refusant de prendre votre part de responsabilité, rendez-vous toute réconciliation impossible et faites-vous du divorce l'unique solution?
23. Avez-vous omis de faire la distinction entre ce que vous pouvez faire pour vous-même et ce dont vous avez besoin de la part d'une autre personne?
24. Avez-vous eu un «divorce affectif» pendant de nombreuses années?

Si une grande partie de ce qui précède vous concerne, le divorce est peut-être bien la solution. ***Demandez toutefois l'aide d'un thérapeute avant de prendre votre décision finale.*** **Souvenez-vous que vous divorcez pour toujours! Le divorce est l'une des étapes les plus importantes de votre vie. Vous devez faire tout ce qui est en votre pouvoir avant de prendre cette décision. Ne vous mettez jamais dans une position où vous auriez pu dire «Ah, si seulement j'avais...».**

Vous devez toutefois prendre garde à quelques situations nécessitant un «arrêt immédiat»:

1. PARTEZ IMMÉDIATEMENT si vous-même ou vos enfants êtes soumis à de mauvais traitements physiques ou affectifs, ou si vous ne vous sentez pas en sécurité.
2. Partez et consultez un thérapeute si vous-même ou vos enfants vous sentez affectivement ou physiquement malades.

Oui, le divorce peut blesser les enfants. Mais une étude portant sur 17 000 familles britanniques, publiée dans l'édition du 7 juin 1991 du magazine *Science,* suggère qu'il fait plus de mal lorsque les hostilités existaient auparavant. Dans cet échantillon — et dans une étude semblable faite sur 1700 familles américaines —, la moitié des garçons et pratiquement toutes les filles souffrant de problèmes affectifs en avaient montré des signes avant la séparation de leurs parents. Ne vous y trompez pas: *Si une relation de couple vous fait beaucoup souffrir, vous et vos enfants, le départ du parent fera moins de mal à tous.* Plusieurs études — et ma propre expérience — indiquent que les enfants se portent mieux de voir leurs parents divorcer que de rester prisonniers d'une famille déchirée par un conflit.

3. Il est temps pour vous de partir si vous sentez que vous avez besoin d'un thérapeute et si votre partenaire refuse catégoriquement cette éventualité. Souvent, pour que le processus soit efficace, c'est un partenaire qui doit commencer une thérapie et l'autre qui doit finir par le rejoindre. Vous devez être patient — mais vous ne serez pas toujours seul.
4. Partez si votre partenaire est en phase de dénégation, s'il continue à vous tromper et à mentir ou s'il refuse de promettre de ne pas recommencer après

la thérapie. L'adultère répété est une forme de mauvais traitement.

Une de mes clientes a supporté les infidélités de son époux pendant quarante et un ans, car il était par ailleurs un bon père et un bon mari! Après être venue me voir, elle a finalement trouvé que «trop c'était trop» et elle a demandé le divorce — même si elle jurait de l'aimer encore. Il est venu me voir mais il a refusé de cesser de la tromper parce que ses liaisons étaient trop agréables et qu'il ne faisait de mal à personne.

5. Vous devriez partir si vous vous sentez enfermé dans une relation de couple destructrice dans laquelle vous n'avez aucun droit et êtes traité comme si vous n'existiez pas. Le *statu quo* vaut-il la peine d'être préservé si la souffrance est plus grande que le plaisir?

N'acceptez pas le chantage de l'argent, du bonheur des enfants, etc. Comme Amanda, vous *pouvez* survivre sans votre partenaire infidèle.

6. Ne restez pas si votre partenaire ne le désire réellement plus! Vous ne pouvez pas imposer l'intimité ni demander à quelqu'un de vous aimer de nouveau. Croyez-le sincèrement si votre partenaire vous dit «Je ne t'aime plus». La plupart du temps, ces mots sont sincères. Tout est fini lorsque l'amour est mort.
7. Si vous ne vous êtes pas mariés par amour la première fois, vous ne resterez certainement pas ensemble, car il n'y a rien qui puisse vous retenir. Comme je l'ai remarqué, certaines liaisons sont motivées par le désir de voir le mariage se terminer. C'est particulièrement vrai pour les femmes qui se sont mariées sans amour, mais qui manquent de courage pour partir avant que l'adultère les y force.

Dans certains cas, un partenaire peut ne pas savoir que choisir: il ne veut pas vous épouser, mais il ne veut pas non plus que quelqu'un d'autre le fasse.

C'était le cas de Laurent qui n'avait pas fait l'amour à sa femme Christine pendant des années, mais l'avait trompée dans toute la ville.

Lorsque Christine et ses enfants sont partis, Laurent a refusé de subvenir à leurs besoins. Il a même préféré passer une nuit en prison plutôt que de se plier à une ordonnance du tribunal. Il continuait à essayer de blâmer Christine pour la situation et tentait de la culpabiliser pour son départ.

En thérapie, elle est devenue assez forte pour pouvoir admettre son droit légitime à la colère. Elle a affirmé son indépendance, elle est retournée à l'école et elle a étudié la programmation informatique pendant que ses amies prenaient soin de ses enfants. Aujourd'hui, elle est divorcée, autonome et très fière de ce qu'elle a accompli.

S'il vous paraît évident que le divorce est nécessaire, agissez avec prudence et compassion.

Vous pouvez vouloir prendre une revanche mais, si vous essayez de le faire contre votre partenaire, vous risquez de compromettre vos chances de bonheur futur avec quelqu'un d'autre — ainsi que celles de vos enfants. Plusieurs études montrent que les enfants dont les parents communiquent mal et luttent sans élégance sont de futurs candidats au divorce.

LES ENFANTS: DES TÉMOINS SILENCIEUX

Les enfants dont les parents divorcent à cause de l'adultère se chargent de beaucoup de culpabilité et se sentent terriblement responsables du sort de leurs parents.

Questions de Tania, cinq ans: «Papa, tu vas aller vivre avec elle? Tu aimes plus maman et moi? Je serai gentille; je ferai tout mon travail, j'irai à l'école. Et je me battrai plus avec Éric.»

Puis elle demande à sa mère, devant son père, «Maman, on va avoir un nouveau papa?».

Le père, pleurant, dit alors «Je ne te quitterai jamais. Je serai toujours ton papa, même si maman ou moi on se remarie avec quelqu'un d'autre. Nous t'aimerons toujours». **N'oubliez pas de dire à vos enfants que vous les aimerez toujours.**

Violence

Après qu'Angèle se fut disputée avec son mari Daniel à propos de sa maîtresse, ce dernier l'a frappée tellement fort au visage qu'il lui a cassé le nez. Le couple ne s'est pas aperçu que leur fille de six ans, Julie, entendait leur terrible dispute. Soudain, à cause du traumatisme que cela lui a provoqué, elle a simplement cessé de parler.

Pendant ce temps, ses parents laissaient empirer leur conflit jusqu'à un niveau destructeur. Sur les conseils de son avocat, Daniel restait dans la maison familiale en attendant une décision du tribunal et, malgré qu'Angèle n'ait pas à cuisiner pour lui, elle devait lui donner accès à la salle de bain pour prendre ses vêtements et lui transmettre ses messages téléphoniques.

Ils ne se parlaient que pour s'insulter — et Julie ne disait toujours rien.

Ils ont fini par l'amener chez moi. Grâce à une «thérapie familiale par le jeu», elle a révélé ce dont elle avait été témoin, rejouant la scène choquante avec une voiture de police, une ambulance (les deux ayant été appelées pendant la dispute) et des personnages *Family*.

Ses parents se sont rendu compte que leur fureur était destructrice pour eux et leur fillette. Daniel a réalisé que, si cette dernière avait à ses yeux plus de valeur que ses biens, il devait quitter la maison. Angèle a compris qu'il lui fallait se débarrasser de son animosité et trouver une bonne manière pour que Julie puisse voir son papa.

La fillette s'est alors remise à parler et sa garde partagée se passe bien à la satisfaction de toute la famille.

Obsession

L'obsession peut autant perturber les enfants que la violence. Bien qu'elle ait divorcé de son mari Louis-Paul, Liliane et son fils Albert ne parvenaient pas à se débarrasser de l'idée que cet homme risquait de revenir.

En fait, le couple ne s'était pratiquement pas parlé depuis sept ans. Lorsque Louis-Paul venait chercher son fils de dix ans, il klaxonnait à la porte.

Traumatisé par le stress, le jeune garçon a souffert de graves allergies qui ont nécessité des hospitalisations. À un moment, il a même failli en mourir.

Inquiets, ses parents ont fini par venir me consulter ensemble. Grâce à une «thérapie familiale par le jeu», j'ai pu leur faire comprendre que, dans l'intérêt de leur enfant, leur «lutte silencieuse» devait prendre fin. *Comme tous les enfants de divorcés, Albert voulait que ses parents se réconcilient. Ils n'y sont pas parve-*

nus, mais ils ont fait leur possible et ils sont devenus amis. Albert a été soulagé et a fini par guérir.

Un divorce amical peut sembler difficile, mais une attitude civilisée est possible et indispensable pour les enfants.

RÉDUCTION DE LA DOULEUR

Pour pouvoir rompre proprement et aussi gentiment que possible, il faut pouvoir partager la douleur, le désappointement et la colère. (Voir le chapitre 9 pour les rubriques Faites écho, Le «gilet pare-balles» et l'Exercice d'embrassade.) Pleurez ensemble. Parlez des bons côtés de votre relation, de l'évolution qu'elle vous a apportée ainsi que du potentiel de toute nouvelle relation. Parlez de la manière dont vous allez l'annoncer à vos enfants. Souvenez-vous que **vous aurez besoin d'entretenir un contact, au moins pour vos enfants. Comme toutes les autres, cette relation est fragile et a besoin d'être nourrie.**

1) *Laissez dissiper votre colère.*

Très souvent, la libération de la colère est la seule manière dont les couples parviennent à se séparer. Refaites les exercices sur la colère, le chagrin et le pardon pour renforcer votre nouvelle relation avec votre ancien partenaire même si vous les avez faits avant de prendre votre décision. Cela vous permettra de conserver un aspect amical à votre séparation et vous aidera à acquérir des aptitudes vous permettant de recommencer votre vie avec un nouveau partenaire plus dignement et sans souffrir.

2) *Faites l'exercice des funérailles de la page 168.*

Il vous aidera à apprécier et à accentuer les aspects positifs de votre relation et vous permettra de pleurer sa perte et de lâcher prise pour qu'une meilleure relation de couple soit un jour possible.

3) *Reconnaissez l'importance que vous avez l'un pour l'autre et celle de votre couple.*

4) *Reconnaissez votre responsabilité dans la séparation sans tomber dans le remords ni la critique.*

5) *Écrivez une lettre à votre partenaire, mais ne la lui envoyez pas.*

Faites la liste de vos besoins et de vos attentes dans le mariage. Expliquez comment votre partenaire n'a pu les satisfaire et comment vous n'avez pas pu vous-même obtenir ce que vous vouliez.

6) *Si vous avez de la difficulté à vous laisser aller, écrivez-vous des lettres à vous-même.*

Notez les aspects intéressants et moins intéressants de votre couple et vos sentiments comme ex-partenaire. Ce n'est qu'après avoir dit adieu à l'amour et à la colère que vous pourrez envisager l'intimité avec quelqu'un d'autre.

Si vous vous faites des éloges, compensez-les avec des aspects négatifs. Si vous vous faites des critiques, compensez-les par des aspects positifs. Notez les bons et les mauvais côtés de votre relation.

7) *Si la tension et le trouble sont trop importants, demandez de l'aide à vos enfants et à votre partenaire.*

Avant de rencontrer un avocat, voyez ensemble et séparément le même thérapeute pour pouvoir maîtriser votre hostilité.

8) *Notez vos besoins personnels.*

Notez ce qui manquait dans votre couple et que vous rechercherez dans votre prochaine relation. Rédigez-le sous forme de liste. Conservez cette liste à portée de la main et consultez-la de temps à autre.

9) *Surveillez les symptômes de vos enfants.* (Surveillez plus attentivement les enfants qui n'en présentent *aucun.)*

Pratiquez la «thérapie familiale par le jeu» avec eux selon les indications du chapitre 14. (Utilisez le «génogramme» et les triangles décrits dans les chapitres précédents pour comprendre votre héritage familial et en corriger les habitudes destructrices.)

10) *Essayez de faire comprendre à vos enfants que vous avez fait tout ce que vous pouviez pour que votre couple fonctionne.*

Rappelez-leur que vous continuez tous deux à les aimer. Ne les punissez pas et ne les mettez pas en cause. **Dites-leur que ce qui se passe n'est pas de leur faute.**

Avec de jeunes enfants, j'utilise souvent des analogies avec les jouets (voir le tableau suivant). Lorsqu'un des parents part, par exemple, je note son nom sur une balle attachée à une raquette par un élastique; la balle ne revient jamais au même endroit — mais elle reste toujours attachée.

LA FABLE DES JOUETS

Lorsque mes clients divorcent pour cause d'adultère (2 p. 100 des cas), je leur permets souvent d'annoncer la nouvelle aux enfants en présence des parents et des grands-parents.

Je leur montre des jouets cassés. L'un d'eux est une poupée (ou une voiture) en plusieurs morceaux que je remets ensemble; l'autre jouet est cassé en mille morceaux et irréparable. Je les laisse essayer de recoller les morceaux et pleurer s'ils n'y parviennent pas.

Je leur explique que papa et maman ont fait beaucoup d'efforts pour remettre leur couple en état, mais que celui-ci ressemble trop au deuxième jouet.

Ils comprennent, mais se sentent toutefois tristes. (Je les encourage à avoir du chagrin pour le jouet cassé et je trouve normal qu'ils pleurent.) Je leur dis ensuite qu'ils vont avoir maintenant une nouvelle relation avec leurs parents et qu'elle sera comme un nouveau jouet qui ne remplace pas l'ancien. Ce ne sera jamais exactement le même. Je leur rappelle alors qu'ils parviennent souvent à aimer autant ou même davantage leurs nouveaux jouets — même si les anciens leur manquent toujours.

Nous expliquons que papa a une nouvelle amie, mais que ce n'est pas la faute de maman. Peut-être papa n'a-t-il jamais dit à maman qu'elle deviendrait sa meilleure amie. Peut-être ne sait-il pas comment le lui dire. Je voudrais qu'ils puissent voir la similarité, comme j'ai expliqué que papa et maman étaient tous deux très seuls et avaient des problèmes, mais qu'ils risquent de ne pas le savoir pendant un bon moment. Peut-être que maman le montre à ses enfants en se rapprochant plus d'eux et que papa le montre aussi en se trouvant une nouvelle amie.

L'amie n'est pas la cause de leur problème… et les enfants non plus.

11) *Ne transformez pas vos enfants en espions ni en conseillers conjugaux.*

Assurez-vous qu'ils comprennent bien qu'on n'attend pas d'eux qu'ils défendent un de leurs parents contre l'autre ni qu'ils gardent des secrets.

Assurez-les que vous continuez tous deux à les aimer autant, quels que soient les changements.

Autorisez vos enfants à vous aimer tous les deux. Assurez-les qu'ils ne seront jamais considérés comme des traîtres s'ils rencontrent et aiment votre nouveau partenaire.

PRÉSENTATION DU NOUVEAU PARTENAIRE

Lorsque vous décidez que le moment est venu pour vos enfants de connaître votre nouveau partenaire, organisez la rencontre avec beaucoup de soin. Assurez-vous qu'il va former avec vous un couple valable ayant des chances de durer.

ÉTAPES À SUIVRE POUR LA PRÉSENTATION

Ne présentez pas directement votre nouveau partenaire. Les enfants ont d'abord besoin de passer du temps avec chaque parent pour assimiler les changements de situation et retravailler leur relation avec eux.

Attendez au moins six mois pour que l'enfant ait pu vivre son chagrin. Souvent, le nouveau partenaire souhaite une rencontre plus précoce en pensant qu'il s'agit d'un signe que l'ancienne union est terminée. Considérez que les besoins et les sentiments de vos enfants sont plus importants; n'abandonnez pas tant que vous n'êtes pas tous prêts.

Ne faites rien sans en discuter au préalable avec votre ancien partenaire. Tout le monde doit d'abord être d'accord, car si l'enfant et l'ancien partenaire ne sont pas prêts, la relation entre les parents, l'enfant et le nouveau partenaire peut être définitivement faussée.

Préparez bien le terrain. Quel que soit leur âge, les enfants peuvent ne pas aimer rencontrer le nouveau partenaire du parent avant d'avoir d'abord pu parler sincèrement de leurs sentiments. Dans la plupart des cas, ils acceptent facilement le beau-parent — à condition de ne pas être brusqués et que le parent abandonné soit prêt.

Ne les harcelez pas et ne les menacez pas pour essayer de forcer l'intimité avec le beau-parent, car cette attitude risquerait d'avoir l'effet contraire.

N'attendez pas autre chose que des manières polies. Rencontrez-vous en terrain neutre et ne leur demandez pas une intimité immédiate.

Paule, la maîtresse de Grégoire, a essayé d'acheter l'affection des deux enfants de son nouveau partenaire avec des cadeaux. Sans tenir compte de mes conseils, ils se sont rencontrés trois mois après que Grégoire a quitté leur mère. Sophie, quatre ans, en était au stade phallique durant lequel son père n'avait jamais tort et elle était sous son charme. Mais François, sept ans, refusait de voir Paule lorsqu'elle venait passer chaque fin de semaine avec son père.

Il était assez grand pour ne pas être conquis par les cadeaux et il sentait le chagrin de sa mère. Malheureusement, son père le pressait d'aimer Paule parce que «sa sœur le faisait déjà». Cette insistance n'a fait qu'éloigner François de sa sœur et de son père. Ces sentiments négatifs ont continué après que Grégoire a divorcé d'avec sa mère pour épouser Paule. Cela a séparé les enfants et chacun d'eux s'est allié avec son parent du sexe opposé. Sophie et sa mère ont aujourd'hui une relation négative.

COMMENT RECOMMENCER À VIVRE

Comment recommencer une nouvelle vie après avoir divorcé? Bien entendu, vous avez d'abord besoin de temps pour vous morfondre et vivre votre chagrin (voir le chapitre 11). Mais faites un petit effort.

1) *Utilisez les systèmes de soutien existants.*

Vous vous sentirez probablement asocial, mais forcez-vous à rencontrer beaucoup d'amis, des membres de votre famille ou de groupes de soutien pour parents divorcés.

2) *Pardonnez-vous, pardonnez à votre partenaire et pardonnez à vos parents.*

Reprenez contact avec votre parent dont vous êtes le plus éloigné; c'est maintenant le bon moment pour traiter le vide que vous ressentez depuis votre enfance.

3) *Changez d'endroit et de rythme pour acquérir une nouvelle perspective.*

Partez faire des fouilles archéologiques pour un musée, descendre des rivières en radeau ou faire de la bicyclette. Allez à un endroit où vous avez toujours voulu aller, peut-être avec les anciens élèves de votre école.

4) *Dorlotez-vous en allant dans un club de santé ou de gymnastique.*

L'exercice physique combat la dépression en permettant la libération d'endorphines, les hormones de «récompense» du cerveau — et vous permet en outre d'améliorer votre aspect.

5) *Trouvez un nouveau sujet d'intérêt.*

Faites une activité de bénévolat, nouvelle et enrichissante. Apprenez à lire à des analphabètes, occupez-vous de bébés atteints du sida, participez à une campagne de levée de fonds ou faites circuler une pétition. Cela vous redonnera de l'énergie, améliorera votre perception de vous-même — et vous permettra peut-être aussi de vous faire de nouveaux amis.

6) *Laissez-vous aller.*

C'est fini — n'ayez pas de pensées négatives. Lorsque la poussière sera retombée, demandez-vous si vous avez toujours des griefs contre votre ex-partenaire. Souvenez-vous que les liens négatifs sont les plus forts.

7) *Comportez-vous en célibataire.*

Donnez des rendez-vous galants. Si vous ne recevez pas d'invitation, invitez de vieux amis à souper — et joignez-y quelqu'un avec qui vous aimeriez sortir. Laissez vos amis vous aider.

8) *N'ayez pas peur de souffrir à nouveau.*

La sagesse et le changement naissent souvent de la douleur. Le risque et la douleur font partie de l'amour. Nous ne pouvons pas aimer sans notre cœur. (De plus, vous y êtes mieux préparé maintenant que vous maîtrisez les aptitudes enseignées par ce livre.)

9) *Utilisez le bouleversement du divorce pour grandir et relever de nouveaux défis.*

10) *Gardez espoir.*

Affichez une feuille que vous verrez tous les jours avec les mots «***Je* vais trouver quelqu'un qui m'aimera**».

Le long chemin du retour

Même en cas de séparation catastrophique, le divorce n'a pas à détruire les familles. Examinons le cas de Richard et de son épouse Jeanne.

Richard l'a frappée en découvrant qu'elle avait une liaison; elle a appelé la police. Maintenant, ils sont séparés et Richard a peur de ne plus jamais revoir son fils et sa fille parce que son épouse les a dressés contre lui.

J'ai invité Richard, Jean-Guy, âgé de dix ans, et Mireille, âgée de huit ans, pour jouer au jeu *Gilligan's Island* avec moi. Jeanne a refusé de participer, et les enfants se sont sentis déchirés et déloyaux d'aimer leurs deux parents. Finalement, je lui ai communiqué par téléphone les sentiments de ses enfants.

Avec la «thérapie familiale par le jeu», les sentiments de déchirure, de déloyauté et d'enfermement des enfants dans un triangle avec leurs parents sont libérés. Les enfants voulaient aller rendre visite à leur père qu'ils aimaient mais avaient peur d'être punis par leur mère. Ils avaient énormément besoin de leur mère. Qui s'occuperait d'eux si elle se fâchait parce que leur père était parti? Mireille a commencé à raconter une histoire sur le modèle du jeu *Gilligan's Island.*

«Le père est sur l'île, a-t-elle déclaré.

— Est-ce qu'il aime être là? ai-je demandé.

— Non, parce que personne ne l'aime.

— Une noix de coco lui est tombée sur la tête, ajoute Mireille.

— Il est blessé, dit Richard.

— Mais qui prend soin de lui? murmure Jean-Guy.

— Je m'en occupe. Il aurait pu mourir, gémit Mireille.

— Où sont tous les autres? demandai-je.

— Le petit garçon et la petite fille sont par là dans une maison, répond Jean-Guy. Comme la maman. Elle ne les laisse pas aider leur père.

— Pourquoi?

— Il a fait une très vilaine chose et il doit être puni, dit Jean-Guy.

— Est-ce que l'île est la prison du père? demandai-je.

— Oui.

— Les prisonniers reçoivent pourtant des visites, suggère leur père.

— La petite fille peut lui apporter de la nourriture et de l'eau, dit Mireille. (Mireille a parlé ouvertement de son affection pour son père et a admis ensuite qu'elle était la petite fille de l'histoire.)

— Le père devrait aimer ça, dit Richard, la voix étranglée par l'émotion.

— Que pourrait faire la mère, ai-je demandé?

— Elle est très fâchée, reconnaît Mireille. Elle risque de frapper la petite fille, mais la petite fille s'en moque.

— Le petit garçon et la petite fille ne peuvent pas atteindre l'île, de toutes façons, dit Jeanne. Ils ne savent pas conduire le bateau.»

Percevant la peur de Jean-Guy parce qu'il n'avait aucune façon de maintenir le contact avec son père, j'ai suggéré que ce dernier aurait pu être heureux sur l'île parce qu'elle comportait une belle plage et de gentils animaux et qu'il pouvait conduire le bateau jusqu'à la maison et faire jouer ses enfants au jeu *Gilligan's Island* avec lui.

À ce stade, Richard s'est effondré en pleurant et il s'est s'excusé d'avoir frappé leur mère. J'ai suggéré que lorsque des gens faisaient des mauvaises choses, il n'était pas nécessaire de les punir pour toujours. Pardonner les mauvaises choses faites était aussi très important. «Même Dieu fait des erreurs», ai-je dit.

Après avoir donné à Jean-Guy *ma* permission d'aimer son père et de lui rendre visite, je lui ai dit de demander à sa mère la permission d'aimer son père et de lui rendre visite *dans le jeu*. C'est ce qu'il a fait avec un peu de soutien de ma part et cette attitude s'est répercutée dans la *vraie vie*. Jean-Guy a aussi réussi à extérioriser son sentiment d'ambivalence en observant la réaction positive de Mireille vis-à-vis de son père dans le jeu.

Finalement, grâce au témoignage d'un enfant innocent, les membres de la famille se sont rendu compte que leur amour était bien supérieur à leur amertume.

Leur rapprochement a diminué les risques que Mireille et Jean-Guy ou leurs enfants et petits-enfants aient à vivre leur dangereux héritage. En travaillant ensemble pour comprendre et pardonner l'adultère et le divorce, cette famille a amélioré les chances de bonheur des enfants.

C'est ce que vous faites aussi en lisant ce livre.

VOTRE DÉCISION DE DIVORCER DÉPEND-ELLE D'UNE VÉRITABLE PEUR DE VOUS RÉCONCILIER?

Les réponses que vous et votre partenaire donnerez aux questions suivantes et l'effort que vous êtes prêt à faire décideront de votre réconciliation ou de votre divorce.

Vous et votre partenaire devez vous poser ce genre de questions avant de prendre une décision définitive sur le divorce ou la réconciliation. Si vos réponses comportent plus de «oui» que de «non», vous risquez de divorcer pour de mauvaises raisons. Si elles comportent plus de «non» que de «oui», votre couple peut probablement être sauvé à condition d'y travailler sérieusement.

1. Partez-vous surtout parce que vous ne pouvez plus supporter l'incertitude?
2. Partez-vous à cause de votre impulsivité?
3. Partez-vous parce que vous avez simplement besoin d'agir même si ce n'est pas la bonne action?
4. Partez-vous à cause de votre confusion ou de votre blessure?
5. Partez-vous surtout à cause de votre pessimisme?
6. Partez-vous parce que vous êtes en état d'épuisement affectif?
7. Partez-vous surtout parce que la blessure de l'adultère a fait diminuer votre amour?
8. Sentez-vous que vous n'êtes plus amoureux, même si vous l'avez déjà été et si vous vous êtes mariés par amour?
9. Partez-vous surtout à cause de l'entêtement qui vous empêche de reconstruire votre relation de couple et de vous réconcilier?
10. Est-ce que votre indécision — ne pas savoir choisir — vous fait quitter ceux que vous aimez?
11. Avez-vous incité votre partenaire, votre amant ou votre maîtresse à prendre la décision de sortir de toutes ces difficultés? Forcez-vous le divorce?
12. Partez-vous surtout parce que votre partenaire refuse de rencontrer un thérapeute? Êtes-vous conscient que, parfois, le *fuyard* est long à se décider et que vous, le *poursuivant*, devez diriger les choses?
13. Croyez-vous que ce divorce résoudra votre problème?
14. Sentez-vous que le blâme vous donne plus de contrôle sur la situation et que vous ne pouvez pas le mettre de côté?
15. Partez-vous surtout parce que vous croyez que vous débarrasser d'une personne signifie vous débarrasser de votre problème?
16. Divorcez-vous avant d'avoir vraiment *conscience* de votre vide affectif, de celui de votre partenaire et de celui de vos parents?

17. Avez-vous traversé aujourd'hui la douleur ensemble pour éviter de souffrir plus par la suite, que vous restiez ou non?
18. Comprenez-vous pourquoi c'est arrivé? Pouvez-vous être tristes ensemble en vous préparant à partir?
19. Comprenez-vous la nature fragile des relations et les aptitudes nécessaires pour vous y prendre autrement?
20. Profiteriez-vous de cette seconde chance avec votre partenaire ou avec quelqu'un d'autre et agiriez-vous différemment?
21. Savez-vous qu'un divorce ne clôture pas toujours une relation de couple, surtout avec des enfants?
22. Avez-vous parlé de divorce avec vos enfants?

Quelques questions pertinentes

POUR LE PARTENAIRE ADULTÈRE

1. Est-ce que l'indécision vous fait perdre ou abandonner quelque chose que vous aimez?
2. Êtes-vous toujours dans la période de dénégation? Croyez-vous que votre comportement adultère ne blessera personne?
3. Vous êtes-vous pardonné et avez-vous pardonné au partenaire trompé?
4. Continuez-vous à idéaliser ou à idolâtrer votre amant ou votre maîtresse?

POUR LE PARTENAIRE TROMPÉ

1. Partez-vous à cause de la dénégation du partenaire infidèle et de son manque de désir de faire cesser son adultère (la raison la plus courante et la plus facilement acceptable pour un divorce)?
2. Avez-vous pardonné au partenaire infidèle et à vous-même?

POUR LES DEUX PARTENAIRES

Est-ce que la partie égoïste de vous-même a encore des difficultés? Êtes-vous toujours incapable de renier votre douleur et vos convictions au lieu de compatir avec votre partenaire en l'écoutant et en validant ses pensées?

Chapitre 16

L'adultère: un péché qu'on pardonne?

Une vie superficielle ne vaut pas la peine d'être vécue.

PLATON

Ceux qui ne parviennent pas à se souvenir du passé sont condamnés à le revivre.

GEORGE SANTAYANA

Je sais que l'adultère ne se termine pas obligatoirement de manière tragique. Je le sais grâce à des centaines de clients, à mes parents, à mon mari et à ma propre expérience.

Maintenant, j'espère que vous aussi, vous le savez.

Aujourd'hui, mes parents ont trouvé l'amour dans la vie réelle et ils apprécient les relations les plus gratifiantes — ensemble, ainsi qu'avec moi et mon frère.

Nous avons fait la paix avec ceux qui nous avaient fait souffrir et nous avons amélioré nos relations: moi avec mon père, mon père avec ma mère et ma mère avec son père décédé (sur sa tombe). Et j'ai fini par vaincre mon angoisse et pu trouver le bonheur avec Jeff, mon second mari — qui a triomphé de quelques-unes de ses peurs.

Cela n'a pas été facile pour moi de renoncer à mon héritage de peurs et de manque de confiance. Sans m'en rendre compte, je l'ai nié et je me suis réfugiée dans le travail pendant près de vingt ans à la suite de mon divorce. Puis j'ai rencontré Jeff, un dentiste intelligent et attirant. Il avait lui aussi divorcé depuis longtemps de sa première épouse et venait d'être blessé à nouveau par la fin d'une relation d'un an.

Nous avons été immédiatement en harmonie. Après trois mois de rendez-vous, j'ai rassemblé mon courage et je lui ai demandé quelles possibilités s'offraient à nous.

«Notre relation est-elle exclusive ou pouvons-nous voir d'autres gens?» lui ai-je demandé en essayant de repousser ma peur de la trahison et mon désir de ne pas être prisonnière d'un triangle.

«Non, a-t-il répondu en disant les mots que je voulais entendre. Je suis heureux avec toi. Je ne veux pas d'autres femmes dans ma vie.»

Et pourtant, des doutes lancinants persistaient. Pouvais-je lui faire confiance? Était-il comme mon père? Allait-il lui aussi me faire souffrir?

J'aurais dû me douter que des difficultés se préparaient lorsque nous avons planifié nos premières vacances ensemble. Je voulais aller faire un voyage romantique aux Caraïbes mais Jeff se dérobait. Pour lui, cette destination ressemblait trop à une lune de miel — pourquoi pas Cape Cod, à la place? Poursuivante typique, je ne voyais rien de mal à une lune de miel. Alors que lui, fuyard tout aussi typique, a décidé qu'il était temps de voir d'autres femmes — sans m'en parler. Il a donc répondu à une annonce dans un magazine spécialisé, reproduisant ainsi les circonstances de notre rencontre.

En faisant un peu pression sur lui, je l'ai convaincu de venir aux Caraïbes et nous avons passé de merveilleuses vacances. C'est certainement là que nous sommes tombés amoureux… ou presque, ai-je pensé. Toutefois, peu de temps après notre retour, j'ai un jour répondu au téléphone dans son appartement et j'ai pris le message d'une femme qui appelait pour confirmer un rendez-vous.

C'était une semaine avant que je rencontre sa mère et il avait paniqué.

J'étais atterrée. Je savais qu'un jour ou l'autre mon héritage se manifesterait lorsque je me donnerais le droit d'aimer

à nouveau; et c'était maintenant le cas — avec violence. Toute la douleur, la rage et la peur rattachées à l'adultère de mon père m'ont balayée aussi fortement que lorsque j'avais sept ans. Je me sentais comme ma mère avait dû se sentir. Je lui ai donc dit que notre relation était terminée; même si nous n'étions pas légalement mariés, nous étions engagés l'un envers l'autre. Il avait brisé une promesse très sérieuse. Même s'il ne m'avait pas trompé véritablement, son attitude était une infidélité à mes yeux.

Jeff m'a alors suppliée de l'écouter. Il ne m'avait pas été *physiquement* infidèle, m'assura-t-il, mais il ne comprenait pas lui-même son comportement.

«C'est comme si ce n'était pas moi. Je me sentais très bizarre à l'intérieur. Je ne voulais pas te blesser. Je ne sais pas pourquoi j'ai agi ainsi. Je ne veux pas te perdre. Je pense que je suis en train de tomber amoureux de toi. Je t'aime», m'a-t-il déclaré.

J'étais trop troublée et trop blessée pour écouter. Devenant à mon tour une fuyarde, j'ai fui ma propre peur — la peur d'être trahie parce que j'avais fait une promesse. Je me cachais derrière Jeff, le considérant comme le méchant et moi comme la victime innocente, tout en sachant bien que nous actualisions les mêmes émotions profondément enfouies.

J'ai fini par appeler le seul homme que j'avais appris à pardonner et à croire pendant toutes ces années de recherche personnelle — mon père — et je lui ai demandé son avis.

«Bonnie, m'a-t-il dit, personne ne sait mieux que toi la difficulté des relations de couple. Avant de quitter Jeff, essaie de savoir s'il a souffert. Son acte était-il un appel à l'aide, comme ce fut le cas pour moi?»

Il s'avéra que oui. Après avoir accepté d'écouter Jeff à la suite de l'intervention de mon père, j'ai appris qu'il avait encore peur de l'intimité. Son père était mort alors qu'il n'avait que 22 ans et il n'avait pas terminé ses études; son premier mariage avait été un échec. Il avait donc refoulé son sentiment de trahison et sa peur d'être abandonné. Aujourd'hui, il était en train de tomber amoureux. Il avait peur de faire une nouvelle erreur car, la première fois, il s'était marié pour combler son vide intérieur. Il était aussi terrifié à l'idée de mourir soudainement comme son père. Il avait pris de la distance par rapport à moi pour réduire son engagement et protéger sa vulnérabilité.

Sa liaison n'avait pas été sexuelle, mais il envoyait vraiment un signal, un appel à l'aide — tout comme mon père l'avait dit.

J'étais thérapeute et j'écoutais les problèmes d'un grand nombre de gens. Pourquoi n'avais-je pas écouté ceux de Jeff? Parce que, à cette époque, l'adultère était toujours pour moi un péché impardonnable. Même si j'avais aidé mes parents à se pardonner, je n'arrivais pas à trouver cette capacité chez moi.

Puis mon père m'a rendu le service que je lui avais rendu et m'a aidée comme je l'avais aidé. Il compensait les moments où il avait été absent pour moi en étant présent aujourd'hui, pour Jeff et moi.

Il nous a permis de comprendre ce que nous étions l'un pour l'autre et de savoir que notre relation de couple valait bien tous les efforts que nous faisions.

D'abord, comme le docteur Fogarty nous l'avait conseillé, mon père a accompagné Jeff sur la tombe de son père pour pouvoir reprendre le contact avec lui et essayer de soulager son sentiment de trahison et d'abandon. Jeff n'avait jamais pleuré la mort de son père et maintenant, il le faisait avec mon père.

Il s'avéra que, voulant le protéger de la tragédie pour qu'il puisse poursuivre ses études à l'école de médecine dentaire, sa mère ne lui avait pas dit que son père avait un cancer. Jeff avait donc pensé qu'ils avaient tous deux beaucoup de temps devant eux et la mort soudaine de ce dernier l'avait accablé.

Mon père a pris la parole le premier: «Votre fils ici présent vous aime et il est très troublé que vous ne soyez pas là pour l'aider à une étape importante de sa vie. Je sais que vous pouvez être fier de lui aujourd'hui. Il souhaite épouser Bonnie, mais il a des difficultés à montrer ses sentiments profonds. C'est en partie à cause de votre mort, et en partie parce qu'il a épousé sa première femme pour remplir le vide affectif que votre décès a créé. Au lieu de cela, il s'est senti encore plus vide et a dû la quitter.

«Jeff a besoin de vous parler et je vais prendre votre place et l'aider, si vous êtes d'accord. Je sais qu'il aime Bonnie comme j'ai aimé ma propre femme, mais j'ai eu trop de difficultés à le montrer avant que je ne la perde. Il peut aussi la perdre s'il ne règle pas ses peurs reliées à votre décès.»

Puis il a pris un Jeff tremblant dans ses bras qui disait: «Papa, j'ai un trou profond, un grand manque, quelque chose m'empêche de m'engager complètement avec Bonnie. Je t'aime. J'ai besoin de toi et de ta bénédiction pour ne pas faire la même erreur. J'ai besoin de te dire que je t'aime et que tu me manques, et pleurer avec mon nouveau père qui me serre dans ses bras m'aide beaucoup.

«J'ai besoin de pardonner à maman — elle a fait de son mieux. Elle ne m'a jamais dit que tu étais mourant mais elle souffrait elle-même.» Jeff a commencé à se rapprocher de nous tous aussitôt après. Avec le soutien de mon père, il a pardonné au sien de l'avoir abandonné et de ne pas lui avoir dit adieu. Il a pardonné à sa mère d'avoir essayé de le protéger. Elle a aussi permis à Jeff de pleurer la perte de son père en lui rappelant quel enfant spécial il avait été pour lui, même s'il ne l'avait pas montré. Elle l'a encouragé à faire de nouveau confiance — pour qu'il puisse finalement se permettre de m'aimer.

Quelques mois après, Jeff a appelé mon père et lui a dit «Père, je vous aime. Je suis d'accord pour que vous me considériez comme un fils dans votre famille. J'aime votre fille. J'ai pour elle de la passion et de l'amitié. Je sais que nous serons heureux ensemble et qu'elle m'aidera à communiquer et à demander ce dont j'ai besoin.» En pleurant, mon père a répondu: «Je n'ai plus seulement un fils maintenant, mais j'en ai deux.»

Cela s'est passé il y a cinq ans. Bien que nous partagions et appréciions l'intimité, nous en avions secrètement peur. Aujourd'hui, mon mari et moi nous tournons l'un vers l'autre pour nous aider mutuellement. Il a appris à affronter ses peurs plutôt que de les fuir et il m'aide aussi à le faire.

Jeff s'est mis à apprécier ce que j'étais pour lui, tout comme mon père avait fini par apprécier l'importance qu'avait ma mère pour lui. Si je n'avais pas travaillé sur ma relation avec mon père, j'aurais risqué de prendre la peur naturelle de Jeff envers l'intimité pour une prédisposition à l'adultère.

La fidélité est tout aussi importante pour lui que pour moi. Je me suis aperçue que des couples qui parlaient de fidélité avant le mariage avaient plus de chances de la respecter ensuite.

Nous avons traité ensemble notre problème comme mes parents avaient fait du leur. Si l'abandon se produisait, j'ai compris que je pouvais le supporter sans en mourir. Jeff a réalisé qu'il pouvait prendre soin de quelqu'un sans perdre sa propre liberté ni être abandonné.

Il m'arrive encore de faire des cauchemars dans lesquels je suis abandonnée par mon mari ou mon père — surtout pendant que j'écrivais ce livre. Cela n'a rien d'anormal, c'est la persistance de l'héritage d'un modèle familial de trahison. La différence est que je peux aujourd'hui partager ces mauvais rêves avec les deux hommes de ma vie — tout en me sentant aimée, réconfortée et en sécurité.

You Always Hurt The One You Love (On fait toujours souffrir celui qu'on aime) est la chanson favorite de ma mère et de mon père. Je sais aujourd'hui combien son titre est vrai.

Nous blessons toujours ceux que nous aimons le plus parce que nos attentes envers eux sont démesurées. Nos parents nous blessent, notre mari ou notre femme nous blesse et nous blessons nos enfants. Nous pouvons guérir la douleur lorsque nous commençons à comprendre qu'elle est une partie inévitable de l'amour. Pour pouvoir guérir, elle doit être partagée.

Un grand nombre de partenaires adultères essaient de soulager une énorme douleur — une douleur qui leur a été transmise par leurs parents. Certaines familles essaient de remplir ce vide douloureux avec de l'alcool, par le divorce ou un excès de travail, et beaucoup d'autres avec l'infidélité.

Si vous parvenez à comprendre ces réalités sur l'adultère, vous ne serez pas obligé de continuer à le répéter ou à partir. Comme un alcoolique repentant, vous pourrez plutôt découvrir une nouvelle joie dans la vie et développer une nouvelle sensibilité aux autres.

Si vous parvenez à atteindre la force de pardonner, vous vous libérerez vous-même — et vous libérerez vos enfants — de cette tragédie capable d'affecter plusieurs générations.

Aujourd'hui, je ne soupire plus sous mes couvertures. J'ai jailli en pleine lumière — et je souhaite que ce livre puisse vous aider à le faire aussi.

En terminant, je pense à un dicton d'Alexander Pope, le poète favori de ma mère: «L'erreur est humaine, mais le pardon est divin.» Je crois que le pardon est aussi très humain. J'offre mon expérience à mes parents, à mon mari et à moi-même, ainsi qu'à mes clients, comme preuve que le «péché impardonnable» est pardonnable.

Et maintenant, je voudrais vous faire lire les lettres que mes parents et moi avons échangées comme exercice de pardon.

Puissent-elles vous aider à trouver autant de bonheur que nous.

Comme maman le dit toujours: «L'amour *peut* vraiment tout vaincre.»

Ma chère Bonnie

Je t'aime et j'ai essayé de te le montrer et de réparer mon immaturité et mes erreurs. Je regrette tellement. Je te remercie et je remercie ta mère pour la confiance que vous me faites.

Je t'aime,
Papa

Chère maman,

Dans mon cahier de textes du collège, tu as écrit: «Un jour, la vie t'entraînera sur des chemins qui seront à la fois bons et mauvais. Tu ne pourras pas être sur les uns sans être sur les autres mais, si tu as le courage et que tu t'en tiennes à ce que tu crois, tu trouveras le chemin du retour.»

Tu m'as aidée à comprendre le comportement humain et tu m'as encouragée à réaliser mon rêve d'aider les autres. Je te remercie d'avoir eu le courage de partager notre douleur et notre joie avec d'autres grâce à ce livre, pour qu'ils puissent trouver leur chemin en t'imitant.

Je t'aime pour t'être trouvée auprès de papa lorsqu'il avait besoin de toi et de l'avoir laissé lorsqu'il avait besoin de s'apercevoir des dégâts qu'il faisait, et d'«avoir eu la sagesse de savoir faire la différence». Merci d'avoir toujours été mon amie et de m'avoir montré le chemin pour aider les couples, les personnes seules et les enfants que je vois dans mon bureau. C'est ton optimisme, ta foi et ton espoir qui m'ont donné l'inspiration pour mes clients.

Je t'aime,
Ta princesse

Cher papa,

Je suis désolée de n'avoir pas été là pour toi et de t'avoir fui. J'avais honte de toi parce que je ne comprenais pas et que j'étais trop troublée pour t'en parler. Je ne savais pas que nous souffrions de la même douleur.

J'espère que ce livre montre le courage de notre famille et qu'il aidera à ôter le stigmate du mot «adultère» et donnera de l'espoir à ceux qui sont confrontés au «péché impardonnable». Je n'offre pas mon héritage pour condamner des liaisons, mais pour constater qu'elles constituent un cri de détresse.

Un nouveau lien peut se former et un couple peut grandir à partir de cette manifestation en apprenant la confiance et le respect. Tu m'as enseigné que la fidélité était une responsabilité, une confiance et un lien qui pouvaient être fragiles mais réparables.

Tu m'as appris à pardonner. Pour cela, je te remercie. Pour cela je t'aime. Merci papa pour ce nouvel héritage du péché pardonnable.

Je suis fière que tu sois mon père.

Je suis fière d'être ta fille.

Tu m'as appris à aimer et à grandir!

Je t'aime,
Ta princesse,
Bonnie

À ma femme et à ma fille,

Je suis heureux que vous m'ayez toutes les deux pardonné pour toute la souffrance que je vous ai causée mais, comme vous le savez, ma compulsion m'a fait faire des choses dont je ne suis pas fier.

Je souhaite te remercier particulièrement, Bonnie, pour t'être assurée que j'obtenais bien l'aide d'un thérapeute dont j'avais besoin.

Je suis aujourd'hui un mari heureux et je rattrape le temps perdu en faisant des choses qui me rendent heureux, moi et ma famille.

Je remercie Dieu de m'avoir donné la force de vaincre mes faiblesses.

Je vous aime pour toujours,
Votre mari et père

Chère princesse,

Je suis si fière du merveilleux travail que tu effectues et que tu avais toujours voulu effectuer en aidant les autres. Et qui plus est, tu m'as aidée aussi! Je me sentais piégée, sans amour, malheureuse et je pensais qu'il était impossible que ça change. Bonnie, tu t'es assurée que j'obtienne l'aide d'un thérapeute et je ne l'ai jamais regretté.

J'ai mis ma fierté de côté (moi qui croyais qu'elle était importante). Mais ce qui était important était mon amour pour papa — et je pense que «l'amour peut vraiment tout vaincre» à condition de s'y mettre. Merci ma chérie pour toutes tes connaissances, tes études et ta persévérance qui ont permis de secourir toute notre famille.

Je n'ai jamais été aussi heureuse qu'aujourd'hui. Dans nos années de vieillesse, ton père et moi ne sommes pas seuls. Nous prenons soin l'un de l'autre et nous apprécions mutuellement notre compagnie. Je suis tellement pleine d'amour pour toi, pour ton frère et pour papa. Je m'éveille tous les matins et je remercie Dieu d'être heureuse comme je le suis.

Avec tout mon amour,
Maman

Aux lecteurs de ce livre,

Ceux qui le souhaitent peuvent avoir facilement de l'aide. La thérapie nous a aidés parce que nous le voulions! et que nous y avons travaillé! Vous pouvez vous aussi faire pareil. N'ayez pas peur d'aller voir un thérapeute. Vos jours en seront éclairés et vous parviendrez à rire plus que vous ne l'avez fait depuis longtemps. C'est merveilleux de pouvoir enfin faire face à la vie et de faire les changements dont nous avons besoin grâce à la thérapie.

Nous l'avons fait et vous pouvez le faire aussi!

Sincèrement vôtres,
Hy et Paula Eaker

Ouvrages parus aux Éditions de l'Homme

Affaires et vie pratique

* **1001 prénoms, leur origine, leur signification,** Jeanne Grisé-Allard
100 stratégies pour doubler vos ventes, Robert L. Riker
* **Acheter et vendre sa maison ou son condominium,** Lucille Brisebois
* **Acheter une franchise,** Pierre Levasseur
* **Les assemblées délibérantes,** Francine Girard
* **La bourse,** Mark C. Brown
* **Le chasse-insectes dans la maison,** Odile Michaud
* **Le chasse-insectes pour jardins,** Odile Michaud
* **Le chasse-taches,** Jack Cassimatis
* **Choix de carrières — Après le collégial professionnel,** Guy Milot
* **Choix de carrières — Après le secondaire V,** Guy Milot
* **Choix de carrières — Après l'université,** Guy Milot
* **Comment cultiver un jardin potager,** Jean-Claude Trait
Comment rédiger son curriculum vitæ, Julie Brazeau
* **Comprendre le marketing,** Pierre Levasseur
La couture de A à Z, Rita Simard
Des pierres à faire rêver, Lucie Larose
* **Des souhaits à la carte,** Clément Fontaine
* **Devenir exportateur,** Pierre Levasseur
* **L'entretien de votre maison,** Consumer Reports Books
* **L'étiquette des affaires,** Elena Jankovic
* **Faire son testament soi-même,** Me Gérald Poirier et Martine Nadeau Lescault
* **Les finances,** Laurie H. Hutzler
* **Gérer ses ressources humaines,** Pierre Levasseur
La graphologie, Claude Santoy
* **Le guide de l'auto 94,** D. Duquet, J. Duval et M. Lachapelle
* **Le guide des bars de Montréal 93,** Lili Gulliver
* **Le guide des bons restaurants de Montréal et d'ailleurs 94,** Josée Blanchette
* **Le guide des plantes d'intérieur,** Coen Gelein
* **Guide du jardinage et de l'aménagement paysager au Québec,** Benoit Prieur
* **Le guide du vin 94,** Michel Phaneuf
* **Le guide floral du Québec,** Florian Bernard
Guide pratique des vins de France, Jacques Orhon
Guide pratique des vins d'Italie, Jacques Orhon
* **J'aime les azalées,** Josée Deschênes
* **J'aime les bulbes d'été,** Sylvie Regimbal
J'aime les cactées, Claude Lamarche
* **J'aime les conifères,** Jacques Lafrenière
* **J'aime les petits fruits rouges,** Victor Berti
J'aime les rosiers, René Pronovost
* **J'aime les tomates,** Victor Berti
* **J'aime les violettes africaines,** Robert Davidson
J'apprends l'anglais..., Gino Silicani et Jeanne Grisé-Allard
Le jardin d'herbes, John Prenis
* **Lancer son entreprise,** Pierre Levasseur
* **Le leadership,** James J. Cribbin
* **La loi et vos droits,** Me Paul-Émile Marchand
* **Le meeting,** Gary Holland
* **Mieux comprendre sa vie de travail,** Claude Poirier et Nicole Gravel
* **Mon automobile,** Gouvernement du Québec et Collège Marie-Victorin
* **Nouveaux profils de carrière,** Claire Landry
L'orthographe en un clin d'œil, Jacques Laurin
* **Ouvrir et gérer un commerce de détail,** C. D. Roberge et A. Charbonneau
* **Le patron,** Cheryl Reimold

* **Prévoir les belles années de la retraite,** Michael Gordon
Les relations publiques, Richard Doin et Daniel Lamarre
* **Les secrets d'une succession sans chicane,** Justin Dugal
La taxidermie moderne, Jean Labrie
* **Les techniques de jardinage,** Paul Pouliot
Techniques de vente par téléphone, James D. Porterfield
* **Tests d'aptitude pour mieux choisir sa carrière,** Linda et Barry Gale
* **Tout ce que vous devez savoir sur le condominium,** Robert Dubois
Une carrière sur mesure, Denise Lemyre-Desautels
L'univers de l'astronomie, Robert Tocquet
La vente, Tom Hopkins

Plein air, sports, loisirs

* **30 ans de photos de hockey,** Denis Brodeur
* **L'ABC du bridge,** Frank Stewart et Randall Baron
* **Almanach chasse et pêche 93,** Alain Demers
* **Apprenez à patiner,** Gaston Marcotte
L'arc et la chasse, Greg Guardo
* **Les armes de chasse,** Charles Petit-Martinon
L'art du pliage du papier, Robert Harbin
La basse sans professeur, Laurence Canty
La batterie sans professeur, James Blades et Johnny Dean
* **La bicyclette,** Jean Corbeil
Le bridge, Viviane Beaulieu
Carte et boussole, Björn Kjellström
Le chant sans professeur, Graham Hewitt
La clarinette sans professeur, John Robert Brown
Le clavier électronique sans professeur, Roger Evans
* **Les clés du scrabble,** Pierre-André Sigal et Michel Raineri
* **Comment vivre dans la nature,** Bill Rivière et l'équipe de L. L. Bean
Le conditionnement physique, Richard Chevalier, Serge Laferrière et Yves Bergeron
* **Construire des cabanes d'oiseaux,** André Dion
Corrigez vos défauts au golf, Yves Bergeron
Culture hydroponique, Richard E. Nicholls
* **Le curling,** Ed Lukowich
* **De la hanche aux doigts de pieds — Guide santé pour l'athlète,** M. J. Schneider et M. D. Sussman
Le dictionnaire des bruits, Jean-Claude Trait et Yvon Dulude
* **Les éphémères du pêcheur québécois,** Yvon Dulude
* **Exceller au baseball,** Dick Walker
* **Exceller au football,** James Allen
* **Exceller au softball,** Dick Walker
* **Exceller au tennis,** Charles Bracken
* **Exceller en natation,** Gene Dabney
La flûte traversière sans professeur, Howard Harrison
Le golf au féminin, Yves Bergeron et André Maltais
Le grand livre des sports, Le groupe Diagram
Le guide complet du judo, Louis Arpin
Le guide complet du self-defense, Louis Arpin
* **Le guide de la chasse,** Jean Pagé
* **Le guide de l'alpinisme,** Massimo Cappon
* **Le guide de la pêche au Québec,** Jean Pagé
* **Le guide des auberges et relais de campagne du Québec,** François Trépanier
* **Guide des jeux scouts,** Association des Scouts du Canada
Le guide de survie de l'armée américaine, Collectif
* **Guide de survie en forêt canadienne,** Jean-Georges Desheneaux
La guitare, Peter Collins
La guitare électrique sans professeur, Robert Rioux
La guitare sans professeur, Roger Evans
* **J'apprends à nager,** Régent la Coursière
* **Je me débrouille à la chasse,** Gilles Richard
* **Je me débrouille à la pêche,** Serge Vincent
* **Jeux pour rire et s'amuser en société,** Claudette Contant

Jouons au scrabble, Philippe Guérin
Le karaté Koshiki, Collectif
Le karaté Kyokushin, André Gilbert
Le livre des patiences, Maria Bezanovska et Paul Kitchevats
* **Maîtriser son doigté sur un clavier,** Jean-Paul Lemire
* **Manon Rhéaume,** Chantal Gilbert
Manuel de pilotage, Transport Canada
Le manuel du monteur de mouches, Mike Dawes
Le marathon pour tous, Pierre Anctil, Daniel Bégin et Patrick Montuoro
* **Mario Lemieux,** Lawrence Martin
La médecine sportive, Dr Gabe Mirkin et Marshall Hoffman
* **La musculation pour tous,** Serge Laferrière
* **La nature en hiver,** Donald W. Stokes
* **Nos oiseaux en péril,** André Dion
* **Les papillons du Québec,** Christian Veilleux et Bernard Prévost
* **Partons en camping!,** Archie Satterfield et Eddie Bauer
* **Les passes au hockey,** Claude Chapleau, Pierre Frigon et Gaston Marcotte
Le piano jazz sans professeur, Bob Kail
Le piano sans professeur, Roger Evans
La planche à voile, Gérald Maillefer
La plongée sous-marine, Richard Charron
* **Le programme 5BX, pour être en forme,**
* **Racquetball,** Jean Corbeil
* **Racquetball plus,** Jean Corbeil
* **Les règles du golf,** Yves Bergeron
* **Rivières et lacs canotables du Québec,** Fédération québécoise du canot-camping
S'améliorer au tennis, Richard Chevalier
* **Le saumon,** Jean-Paul Dubé
Le saxophone sans professeur, John Robert Brown
* **Le scrabble,** Daniel Gallez
* **Les secrets du baseball,** Jacques Doucet et Claude Raymond
Les secrets du blackjack, Yvan Courchesne
La découverte de l'Amérique, Timothy Jacobson
Le solfège sans professeur, Roger Evans
* **Sylvie Fréchette,** Lilianne Lacroix
La technique du ski alpin, Stu Campbell et Max Lundberg
Techniques du billard, Robert Pouliot
* **Le tennis,** Denis Roch
* **Le tissage,** Germaine Galerneau et Jeanne Grisé-Allard
Tous les secrets du golf selon Arnold Palmer, Arnold Palmer
La trompette sans professeur, Digby Fairweather
* **Les vacances en famille: comment s'en sortir vivant,** Erma Bombeck
Le violon sans professeur, Max Jaffa
* **Le vitrail,** Claude Bettinger
Voir plus clair aux échecs, Henri Tranquille et Louis Morin
Le volley-ball, Fédération de volley-ball

Psychologie, vie affective, vie professionnelle, sexualité

* **30 jours pour un plus grand épanouissement sexuel,** Alan Schneider et Deidre Laiken
20 minutes de répit, Ernest Lawrence Rossi et David Nimmons
* **Adieu Québec,** André Bureau
À dix kilos du bonheur, Danielle Bourque
* **Aider mon patron à m'aider,** Eugène Houde
Aimer et se le dire, Jacques Salomé et Sylvie Galland
À la découverte de mon corps — Guide pour les adolescentes, Lynda Madaras
À la découverte de mon corps — Guide pour les adolescents, Lynda Madaras
L'amour comme solution, Susan Jeffers
* **L'amour, de l'exigence à la préférence,** Lucien Auger
Les années clés de mon enfant, Frank et Theresa Caplan
Apprendre à dire non, Marcelle Lamarche et Pol Danheux
* **Apprendre à lire et à écrire au primaire,** René Bélanger
Apprivoiser l'ennemi intérieur, Dr George R. Bach et Laura Torbet

L'approche émotivo-rationnelle, Albert Ellis et Robert A. Harper
L'art de l'allaitement maternel, Ligue internationale La Leche
L'art de parler en public, Ed Woblmuth
L'art d'être parents, Dr Benjamin Spock
L'autodéveloppement, Jean Garneau et Michelle Larivey
* **Avoir un enfant après 35 ans,** Isabelle Robert
Balance en amour, Linda Goodman
Bélier en amour, Linda Goodman
Bientôt maman, Janet Whalley, Penny Simkin et Ann Keppler
* **Le bonheur au travail,** Alan Carson et Robert Dunlop
Cancer en amour, Linda Goodman
Capricorne en amour, Linda Goodman
* **Ces hommes qui méprisent les femmes... et les femmes qui les aiment,** Dr Susan Forward et Joan Torres
Ces hommes qui ne peuvent être fidèles, Carol Botwin
Ces visages qui en disent long, Jeanne-Élise Alazard
Changer ensemble — Les étapes du couple, Susan M. Campbell
Chère solitude, Jeffrey Kottler
Le cœur en écharpe, Stephen Gullo et Connie Church
Comment aider mon enfant à ne pas décrocher, Lucien Auger
Comment communiquer avec votre adolescent, E. Weinhaus et K. Friedman
Comment déborder d'énergie, Jean-Paul Simard
Comment garder son homme, Alexandra Penney
* **Comment parler en public,** S. Barrat et C. H. Godefroy
* **La communication... c'est tout!,** Henri Bergeron
Le complexe de Casanova, Peter Trachtenberg
* **Comprendre et interpréter vos rêves,** Michel Devivier et Corinne Léonard
Découvrez votre quotient intellectuel, Victor Serebriakoff
Découvrir un sens à sa vie avec la logothérapie, Viktor E. Frankl
Le défi de vieillir, Hubert de Ravinel
* **De ma tête à mon cœur,** Micheline Lacasse
La deuxième année de mon enfant, Frank et Theresa Caplan
* **Dieu ne joue pas aux dés,** Henri Laborit
Les douze premiers mois de mon enfant, Frank Caplan
Les écarts de conduite, Dr John Pearce
En attendant notre enfant, Yvette Pratte Marchessault
* **Les enfants de l'autre,** Erna Paris
Les enfants de l'indifférence, Andrée Ruffo
* **L'enfant unique — Enfant équilibré, parents heureux,** Ellen Peck
* **L'esprit du grenier,** Henri Laborit
Êtes-vous faits l'un pour l'autre?, Ellen Lederman
* **L'étonnant nouveau-né,** Marshall H. Klaus et Phyllis H. Klaus
Être soi-même, Dorothy Corkille Briggs
* **Évoluer avec ses enfants,** Pierre-Paul Gagné
Exceller sous pression, Saul Miller
* **Exercices aquatiques pour les futures mamans,** Joanne Dussault et Claudia Demers
La femme indispensable, Ellen Sue Stern
Finies les phobies!, Dr Manuel D. Zane et Harry Milt
La flexibilité — Savoir changer, c'est réussir, P. Donovan et J. Wonder
La force intérieure, J. Ensign Addington
Gémeaux en amour, Linda Goodman
Le grand manuel des arts divinatoires, Sasha Fenton
* **Le grand manuel des cristaux,** Ursula Markham
Les grands virages — Comment tirer parti de tous les imprévus de la vie, R. H. Lauer et J. C. Lauer
La graphologie au service de votre vie intime et professionnelle, Claude Santoy
Guérir des autres, Albert Glaude
Le guide du succès, Tom Hopkins
L'histoire merveilleuse de la naissance, Jocelyne Robert
L'horoscope chinois 1994, Neil Somerville
L'infidélité, Wendy Leigh
L'intuition, Philip Goldberg
* **J'aime,** Yves Saint-Arnaud
J'ai quelque chose à vous dire..., B. Fairchild et N. Hayward
J'ai rendez-vous avec moi, Micheline Lacasse
Je crois en moi et je vais mieux!, Christ Zois et Patricia Fogarty

* **Le journal intime intensif,** Ira Progoff
Le langage du corps, Julius Fast
Lion en amour, Linda Goodman
Le mal des mots, Denise Thériault
Ma sexualité de 0 à 6 ans, Jocelyne Robert
Ma sexualité de 6 à 9 ans, Jocelyne Robert
Ma sexualité de 9 à 12 ans, Jocelyne Robert
La méditation transcendantale, Jack Forem
Le mensonge amoureux, Robert Blondin
* **Mon enfant naîtra-t-il en bonne santé?,** Jonathan Scher et Carol Dix
Parle-moi... j'ai des choses à te dire, Jacques Salomé
Parlez-leur d'amour, Jocelyne Robert
Parlez pour qu'on vous écoute, Michèle Brien
Pas de panique!, Dr R. Reid Wilson
* **Penser heureux — La conquête du bonheur, image par image,** Lucien Auger
Père manquant, fils manqué, Guy Corneau
Les peurs infantiles, Dr John Pearce
* **Les plaisirs du stress,** Dr Peter G. Hanson
Poissons en amour, Linda Goodman
Pourquoi l'autre et pas moi? — Le droit à la jalousie, Dr Louise Auger
Préparez votre enfant à l'école dès l'âge de 2 ans, Louise Doyon
* **Prévenir et surmonter la déprime,** Lucien Auger
Le principe de Peter, L. J. Peter et R. Hull
Psychologie de l'enfant de 0 à 10 ans, Françoise Cholette-Pérusse
* **La puberté,** Angela Hines
La puissance de la vie positive, Norman Vincent Peale
La puissance de l'intention, Richard J. Leider
La question qui sauvera mon mariage, Harry P. Dunne
Rompre pour de bon!, Joyce L. Vedral
S'affirmer et communiquer, Jean-Marie Boisvert et Madeleine Beaudry
S'aider soi-même davantage, Lucien Auger
Sagittaire en amour, Linda Goodman
Scorpion en amour, Linda Goodman
Se comprendre soi-même par des tests, Collaboration
Se connaître soi-même, Gérard Artaud
Secrets d'alcôve, Iris et Steven Finz
Les secrets de la flexibilité, Priscilla Donovan et Jacquelyn Wonder
* **Se guérir de la sottise,** Lucien Auger
S'entraider, Jacques Limoges
* **La sexualité du jeune adolescent,** Dr Lionel Gendron
Si je m'écoutais je m'entendrais, Jacques Salomé et Sylvie Galland
Si seulement je pouvais changer!, Patrick Lynes
Les soins de la première année de bébé, Paula Kelly
Stress et succès, Peter G. Hanson
* **Superlady du sexe,** Susan C. Bakos
Survivre au divorce, Dr Allan J. Adler et Christine Archambault
* **Le syndrome de la fatigue chronique,** Edmund Blair Bolles
Le syndrome de la corde au cou, Sonya Rhodes et Marlin S. Potash
Taureau en amour, Linda Goodman
La tendresse, Nobert Wölfl
Tout se joue avant la maternelle, Masaru Ibuka
Transformer ses faiblesses en forces, Dr Harold Bloomfield
* **Travailler devant un écran,** Dr Helen Feeley
* **Un monde insolite,** Frank Edwards
* **Un second souffle,** Diane Hébert
Verseau en amour, Linda Goodman
* **La vie antérieure,** Henri Laborit
Vierge en amour, Linda Goodman
Vivre avec un cardiaque, Rhoda F. Levin
Vos enfants consomment-ils des drogues?, Steve Carper et Timothy Dimoff
Vouloir c'est pouvoir, Raymond Hull

Ouvrages parus au Jour

Ésotérisme, santé, spiritualité

L'astrologie pratique, Wofgang Reinicke
Couper du bois, porter de l'eau — Comment donner une dimension spirituelle à la vie de tous les jours, Collectif
De l'autre côté du miroir, Johanne Hamel
Les enfants asthmatiques, Dr Guy Falardeau
Le grand livre de la cartomancie, Gerhard von Lentner
Grand livre des horoscopes chinois, Theodora Lau
* **Grossesses à risque et infertilité — Les solutions possibles,** Diana Raab
* **Les hormones dans la vie des femmes,** Dr Lois Javanovic et Genell J. Subak-Sharpe
* **Les maladies mentales,** John M. Cleghorn et Betty Lou Lee
* **Pour en finir avec l'hystérectomie,** Dr Vicki Hufnagel et Susan K. Golant
Pouvoir analyser ses rêves, Robert Bosnak
Le pouvoir de l'auto-hypnose, Stanley Fisher
Questions réponses sur la ménopause, Ruth S. Jacobowitz
Traité d'astrologie, Huguette Hirsig

Essais et documents

* **1759 La bataille du Canada,** Laurier L. LaPierre
* **17 tableaux d'enfant,** Pierre Vadeboncoeur
* **L'accord,** Georges Mathews
* **L'administration et le développement coopératif,** Marcel Laflamme et André Roy
* **À la recherche d'un monde oublié,** N. Laurin, D. Juteau et L. Duchesne
* **Les années Trudeau — La recherche d'une société juste,** T. S. Axworthy et P. E. Trudeau
* **Le Canada aux enchères,** Linda McQuaid
* **Carmen Quintana te parle de liberté,** André Jacob
* **Le Dragon d'eau,** R. F. Holland
* **Elle sera poète, elle aussi!** Liliane Blanc
* **En première ligne,** Jocelyn Coulon
* **Femmes de parole,** Yolande Cohen
* **Femmes et politique,** Yolande Cohen, Andrée Yanacopoulo et Nicole Brossard
* **Les femmes sont-elles allées trop loin?,** Francine Burnonville
* **Le français, langue du Québec,** Camille Laurin
* **Goodbye... et bonne chance!,** David J. Bercuson et Barry Cooper
* **Hans Selye ou la cathédrale du stress,** Andrée Yanacopoulo
* **Hiérarchie ethnique dans la grande entreprise,** Jean-Marie Rainville
* **L'histoire des femmes au Québec,** Le collectif Clio
* **Jacques Cartier - L'odyssée intime,** Georges Cartier
* **La maison de mon père,** Sylvia Fraser
Mémoires politiques, Pierre Elliott Trudeau
Les mythes à travers les âges, Joseph Campbell

Psychologie, vie affective, vie professionnelle, sexualité

L'accompagnement au soir de la vie, Andrée Gauvin et Roger Régnier
Adieu, Dr Howard M. Halpern
Adieu la rancune, James L. Creighton
L'agressivité créatrice, Dr George R. Bach et Dr Herb Goldberg
Aimer, c'est choisir d'être heureux, Barry Neil Kaufman
Aimer son prochain comme soi-même, Joseph Murphy
L'amour lucide, Gay Hendricks et Kathlyn Hendricks
L'amour obession, Dr Susan Foward

Table des matières